EDAF

MADRID - MÉXICO - BUENOS AIRES

FRANÇOIS AROUET DE VOLTAIRE

CÁNDIDO
O EL OPTIMISMO

Prólogo y cronología de Francisco Alonso

BIBLIOTECA EDAF
204

Director de la colección:
MELQUÍADES PRIETO

Traducción de:
MARÍA ISABEL AZCOAGA

© 1999. Editorial EDAF, S. A. Jorge Juan, 30. 28001 Madrid

Dirección en Internet: http://www.arrakis.es/~edaf
Correo electrónico: edaf@edaf.net

Edaf y Morales, S. A.
Oriente, 180, nº 279. Colonia Moctezuma, 2da. Sec.
C. P. 15530. México, D. F.
Dirección en Internet: http://www.edaf-y-morales.com.mx
Correo electrónico: edaf@edaf-y-morales.com.mx

Edaf y Albatros, S. A.
San Martín, 969, 3.º, Oficina 5.
1004 - Buenos Aires, Argentina.
Correo electrónico: edafal3@interar.com.ar

6.ª edición, julio 2000

Depósito legal: M. 26.478-2000
ISBN: 84-7640-833-1

PRINTED IN SPAIN   IMPRESO EN ESPAÑA
Gráficas COFAS, S. A. - Pol. Ind. Prado de Regordoño - Móstoles (Madrid)

ÍNDICE

ÍNDICE

PRÓLOGO

I

En el período de tiempo que va desde 1746 hasta 1758 se publican en Francia los libros que van a ser origen y confirmación de un clima ideológico y político ya irreversible en el combate que enfrentaba a la burguesía con la monarquía feudal. *Historia Natural*, de Buffon; *Pensamientos filosóficos*, de Diderot; *Discurso sobre las ciencias y las artes y Discurso sobre la desigualdad*, de Rousseau; *Sobre el espíritu*, de Helvetius; *Reflexiones sobre el origen de los animales*, de La Mettrie; *Cartas filosóficas* y *El siglo de Luis XIV*, de Voltaire, además de las sucesivas ediciones de la *Enciclopedia* y los opúsculos y panfletos que surgían por todas partes, son libros que dejan consolidado el entramado ideológico de la Ilustración y apuntan a un radicalismo revolucionario que encontraría su fecha en 1789.

Cuando Voltaire, en 1758, comienza a escribir *Cándido o el optimismo* está ya inmerso en este doble movimiento. Por una lado era reconocido como principal impulsor de lo que se estaba incendiando; por otro, Voltaire se alejaba rápidamente de una agitación filosófica y social que iba mucho más allá del liberalismo ilustrado.

Si al final de su vida Voltaire se había convertido en la voz de la «conciencia pública» que luchaba contra el fanatismo religioso, los abusos del poder judicial y la iniquidad política, también manifestaba nuestro autor su profundo distanciamiento de los nuevos aires filosóficos que corrían: materialistas y ateos radicales le causaban tantas náuseas como terror.

Voltaire nace en París el 21 de noviembre de 1694, hijo de Francisco Arouet, notario y tesorero del Tribunal de Cuentas del Reino, y de María Margarita Daumast, mujer rica y aficionada a la vida social e intelectual de la época. En 1701 muere la madre de Voltaire, y tres años más tarde ingresa en el colegio Louis-le-Grand, de París, regentado por los jesuitas y por el que pasan las élites francesas de la época.

En 1711, Voltaire comienza a estudiar Derecho. Destinado a un puesto de lujo — «avocat d'etat» — que su padre le había comprado, el joven interrumpió sus estudios y dijo no. Cambiaba un ocio por otro: de la mano de su tío, padrino y conocido libertino en la época, abate de Châteauneuf, Voltaire se movía ya con soltura en tertulias literarias y sociedades secretas. Con quince años, era miembro del Temple y de la familia secreta de los Libertinos. En una única decisión conciliaba dos efectos: halagar su propio deseo y tantear la ira de su padre.

En 1713 lee con éxito en Sceaux su obra teatral *Edipo*, y durante unas vacaciones en Caen, Voltaire escandaliza públicamente por su libertinaje en el salón de Mme. d'Osseville. *De puero regnante*, sátira en verso escrita con cierta frivolidad por Voltaire contra el Regente en 1717, le lleva a la Bastilla durante un año. Nuestro autor ni se inmuta: venía de los escándalos libertinos y caminaba hacia su futuro como millonario e ideólogo radical. Negó repetidas veces ser autor de la sátira, como hará a lo largo de su vida con todo aquel escrito que le cree problemas. Era ya la hipocresía del que se siente fuerte.

Voltaire es apaleado en 1726 por los criados del noble y mariscal de campo Rohan-Chabot, que dirigía la escena: «No le peguéis en la cabeza que podría salir algo bueno»; Voltaire ve por primera y única vez en su vida doblegado su orgullo. Contrata matones a sueldo y él mismo toma lecciones de esgrima, cuidándose bien de divulgar lo más posible sus preparativos. Fijada ya la fecha del duelo, interviene el Regente y Voltaire es embarcado en Calais camino de un destierro en Londres que duraría tres años. Fue una herida que nunca cicatrizó, y Voltaire comprendió que su honor no se restituiría con la dialéctica de su esgrima, sino con otra más técnica y oscura: los plebeyos contra los nobles en el contexto de lo que ya se estaba incendiando. Poco después lo diría Sade de forma más clara: «el Brumario y la guillotina».

Regresa a París en 1729 y poco después termina la *Historia de Carlos XII* y las *Cartas filosóficas*. Voltaire había comenzado la escritura de las *Cartas filosóficas* durante su exilio en Inglaterra, donde conoció personalmente al rey Jorge I y a la reina, a quien dedicó su obra teatral *Henriade*. Impresionado por el modo de vida inglés, su floreciente actividad comercial e industrial y el ambiente cultural y científico libre y abierto a las ideas nuevas, el filósofo escribe en 1729 unas iniciales *Cartas sobre los ingleses*, tomando como ejemplo lejano las *Cartas persas* de Montesquieu y cercano a las *Memorias* de Gramont sobre Inglaterra. El texto definitivo aparece en abril de 1734 con el título de *Cartas filosóficas por M. de V., en Amsterdam, casa E. Lucas, en el libro de Oro*. En realidad fueron editadas por Jorre en Rouen y tuvieron un éxito fulminante y escandaloso. El editor fue encarcelado, el Parlamento otorgó a la policía una orden de detención contra Voltaire y el libro fue quemado en acto público como condena de su contenido «propio a inspirar el libertinaje más peligroso para la religión y el orden de la sociedad civil». Voltaire replicó: «Verdaderamente, puesto que se grita tanto contra esas condenadas cartas, ¡me arrepiento de no haber dicho en ellas mucho más todavía!» A pesar de todo, el libro circuló rápidamente en sucesivas ediciones clandestinas hasta su inclusión en las *Obras completas*.

En 1736, Voltaire comienza su correspondencia con Federico, príncipe heredero de Prusia. Este mismo año viaja a Holanda y escribe una obra considerada menor, pero que hoy tiene un notable interés, *Discurso en verso sobre el hombre*. Cuatro años después corrige y hace sugerencias sobre el manuscrito *Anti-Maquiavelo*, de Federico II, sobre quien Voltaire ejercerá una considerable influencia hasta su violenta ruptura.

Para dirigir el estreno de su obra *La princesa de Navarra* se instala en Versalles en 1745. La obra se representaría en la ceremonia nupcial del Delfín. Es elegido miembro de la Academia de Francia y nombrado historiador real. Dos años antes había sido elegido miembro de la Royal Society de Londres. Voltaire está ya plenamente instalado en su éxito. «Con larga cabellera que desciende hasta sus hombros en largos bucles, su rostro es enjuto, la tez muy blanca, los ojos oscuros de mirar penetrante, frente alta, amplia, nariz larga, ligeramente puntiaguda y boca fina, grande, algo sumisa, de labios que se contraen ligeramente en un rictus entre burlón y amargo.» Al retrato pintado por Largillière en 1730 habría que añadir, cuando Voltaire cuenta cuarenta y seis años, tuberculosis, insomnio y viruela, cierto desaliño en el vestir, y los dos alimentos que le acompañaron durante toda su vida: café, que tomaba constantemente, y opio, en dosis más razonables.

Llamado por Federico II, que le nombra Chambelán, Voltaire se instala en Berlín en 1750. Divide su tiempo entre el Rey y las últimas correcciones de lo que será su obra magna, *El siglo de Luis XIV*, que se publicará un año después. En esta obra, Voltaire rompe con el relato histórico que se venía haciendo hasta entonces —más relato y menos historia— y, por primera vez en la historiografía occidental, acierta a preguntarse sobre el porqué y consecuencias de los acontecimientos sociales. «Bueno es que haya archivos de todo, para poder consultarlos en caso necesario; yo consulto ahora todos los grandes libros, como los diccionarios. Pero después de haber leído tres o cuatro mil descripciones de batallas, y el contenido de varios centenares de tratados, me parece que, en el fondo, no estoy más instruido que antes. En todo eso no aprendo sino acontecimientos. No conozco mejor a franceses y sarracenos por la batalla de Carlos Martel… ¿Era España más rica antes de la conquista del Nuevo Mundo? ¿Estaba más poblada en tiempos de Carlos V que de Felipe IV? ¿Por qué Amsterdam tenía apenas veinte mil almas hace doscientos años?» Los hechos históricos no se recortan para ser narrados, sino para ser explicados, y ello, apuntó Voltaire, no es posible sin la mediación de las ideologías.

En 1755, acosado en Francia y expulsado de Prusia, después de diferentes altercados con Federico II, Voltaire duda dónde asentarse. Compra dos fincas colindantes en la frontera franco-suiza, y por primera vez se siente seguro en sus tierras: «Yendo así de una madriguera a otra me salvo de los reyes y los ejércitos.» Repuebla de colonos sus tierras, construye poblados y escuelas y funda con rigor ilustrado e imaginación bursátil una explotación agrícola, a la vez que asienta una floreciente industria relojera. Voltaire era otra vez feliz. Volvieron los invitados, las recepciones y su gran pasión, el teatro. Éste era el género literario preferido por Voltaire, que reconocía en él la escritura de la fama —como literatura dominante en la época— y la fantasmagoría de la representación. Se hizo construir en su propia casa un teatro a la italiana donde representaba junto con sus invitados sus propias obras. Afloraba entonces lo mejor de su máscara: frívolo, apasionado, hipócrita y bufón. La Razón tenía en Voltaire su defensor y su arlequín.

Los últimos veinte años de su vida los pasa Voltaire rodeado de elogios. A los dos períodos de prisión y los dos forzados exilios, además de la aceptación general de sus obras, va a añadir la acción directa contra el poder eclesiástico y los abusos judiciales. Con falsas pruebas, las autoridades religiosas de Toulouse obtienen en 1761 la condena a muerte en la hoguera de Jean Calas, miembro de la colonia protestante de la ciudad. El asunto causa escándalo, y Voltaire, convencido de la monstruosidad que los jesuitas de Toulouse habían cometido, acoge en su casa a los dos hijos de Calas. Decidido a provocar la revisión del juicio, se pone en contacto con los círculos ilustrados de Inglaterra, Suiza y Alemania, e imprime miles de hojas sueltas destinadas al público explicando el proceso judicial irregular. Convence a la amante de Luis XV, Mme. de Pompadour, y obtiene un documento oficial que ordena la revisión del proceso. Con mayor escándalo aún, Calas es rehabilitado en su tumba y salen a relucir los métodos de investigación y de presión que las autoridades eclesiásticas habían utilizado para forzar a un inocente: potro, suplicio del agua, exposición encadenado ante la catedral, fractura de todos los miembros, horca y hoguera en público.

En 1765 vuelve a participar en otro asunto semejante: rehabilitar a Sirvent, que había sido condenado por el asesinato de su hija. Voltaire consiguió que la fianza para la reapertura del proceso fuera pagada por los reyes de Prusia, Polonia, Dinamarca y Catalina de Rusia, demostrándose, al final, que la hija de Sirvent se había suicidado después de enloquecer como resultado de las torturas a que había sido sometida en un convento de Toulouse.

Atrayéndose definitivamente el odio de la Iglesia francesa, Voltaire vuelve a intervenir con su pluma y dinero, en 1766, a favor del caballero de La Barre —quemado en la hoguera junto a su ejemplar de las *Cartas filosóficas* de nuestro autor—; en 1767, en la rehabilitación de Lally-Tollendal, y en 1773 en el caso de los esposos Montbailli. Ferney es lugar de cita de ilustrados —Olavide viaja desde España y Casanova aparece en público por primera vez después de su fuga de Los Plomos de Venecia—, y Voltaire aparece ya a los ojos de los europeos como el «intelectual» por antonomasia, inaugurando así la fascinación que los escritores de la modernidad van a sentir por la política: Emile Zola, Bertrand Russell, Jean Paul Sartre u Octavio Paz, más allá de su obra, a veces en contradicción con ella, se convierten casi en auténticos «ombudsmann».

En 1767 publica el cuento *El ingenuo*, en 1768 *El hombre de cuarenta escudos*, y en agosto de 1770 un opúsculo que quiere refutar el *Sistema de la Naturaleza*, de d'Holbach. Voltaire repite incansable a sus allegados la profunda aversión que siente por la filosofía materialista de Diderot y d'Holbach. En 1775 escribe el cuento *Historia de Jenni*, auténtico manifiesto contra el ateísmo; en 1777 se realiza la edición de sus *Obras completas*, y el 10 de febrero de 1778 vuelve a París en un ambiente de júbilo personal y triunfo intelectual. A la multitud que le recibe y acompaña en su trayecto, Voltaire, anciano y enfermo, sólo es capaz de responder con una semisonrisa.

El 11 de febrero recibe más de trescientas visitas, es nombrado director de la Academia, y la Comedia Francesa le tributa un caluroso homenaje. Dos meses más tarde, presentado por Condorcet y Franklin, ingresa como miembro de la Logia Masónica de París. El 30 de mayo de 1778 muere y las autoridades eclesiásticas le niegan sepultura.

Sus conocimientos: ciencias experimentales, economía y filosofía. Su fobia: la beatería que toda religión lleva dentro. Lo mejor de su obra: quince mil cartas de escritura libre, sin nada que demostrar y todo para comentar.

II

En el contexto anterior se puede ya advertir que Voltaire era un autor de fuerte tirón didáctico y de pocas ganas narrativas. Cada una de sus páginas se inscribe inmediatamente en la lucha ideológica de la época y se alimenta directamente de ella. Es coherente, así, que en el campo literario Voltaire se aplicara al teatro. No sólo era el género literario de moda en la época, y sabemos cómo Voltaire era sensible al éxito, sino que su dedicación al teatro viene también explicada por un específico literario: el teatro para Voltaire es lo contrario de la novela; lo público contra lo privado, las ideas frente a la imaginación. La palabra literaria que gustaba en su época, también al propio Voltaire, es la que procede de los actores, se despliega en un escenario y llega al auditorio —la representación estratificada de toda la sociedad—. A pesar de ello, de las docenas de obras teatrales que Voltaire estrenó con éxito, hoy no llega a nuestra sensibilidad ninguna. Por el contrario, *Cándido o el optimismo* nos llega pleno en su sentido y construcción.

Cuando Voltaire comenzó a escribir esta novela, su vida atraviesa uno de sus peores momentos. Acaba de descubrir la traición amorosa de Mme. du Châtelet, su compañera en los últimos diecisiete años; pierde el favor real obligándose a huir de Versalles; su amistad con Federico II finaliza con la detención y posterior expulsión de Prusia, y sus ensayos filosóficos son públicamente atacados por Rousseau. Voltaire renuncia a recomponer la línea de su pensamiento, seguirá fiel en el resto de su obra a los filósofos del optimismo —Pope, Wolff y Leibniz—, limitándose a añadir cierta desconfianza y pesimismo. La realidad de la época —la Guerra de los Treinta Años, el terremoto de Lisboa, que incorporará como marco espacial del *Cándido*— le fuerza a admitir que el Bien, el Optimismo y la Providencia no subsumen totalmente la fuerza de lo irracional, del Mal; al contrario, crean una zona de sombra demasiado intensa. Ésta es la situación en que se desarrolla la acción del relato y la razón por la cual responde Voltaire con una novela a la crítica filosófica: acoge la ruina y lo absurdo con el sentimiento, no con la razón.

Voltaire toma el cuento filosófico que Prévost, Rousseau y Diderot estaban haciendo en la época y lo gira en otra dirección. Apoyándose en la novela de itinerario, y en el relato en primera persona de la picaresca española, va a hacer que Cándido realice un viaje filosófico. Se trata de un relato de iniciación desde la ignorancia a la felicidad, en el cual se aprende a través de los desastres.

La obra se articula en torno al destino, las fuerzas de la maldad de los hombres, que hacen viajar al protagonista, y su visión del mundo aún sin formar. Cándido, optimista e inexperto, se enfrenta poco a poco con una vida que le va endureciendo por la vía del absurdo y el pesimismo. Para que Cándido adquiera un sentido común que le sirva para afrontar su vida es necesario un trayecto simbólico: será preciso que Cándido sea expulsado del castillo en que vive, sea apresado por el rey de los búlgaros, naufrague en la rada de Lisboa, sea castigado por escéptico en auto de fe público, asesine al Gran Inquisidor, reencuentre a su amada Cunegunda en Lisboa y huyendo la pierda en Buenos Aires, dé muerte por azar al hermano de Cunegunda en Paraguay, se haga rico en Eldorado, encuentre a Martín, «filósofo pesimista», en Surinam, vuelva con Martín a Europa, localice a Pangloss, su antiguo «maestro optimista», como remero en una galera turca y, finalmente, reencuentre a Cunegunda en Constantinopla.

Con una técnica realista que refuerza el verosímil del relato, Voltaire hace que Cándido vaya descubriendo al lector sus sentimientos e ilusiones en la acción. No es en el pensamiento o en la reflexión filosófica donde Cándido forma su vida, sino en la acción: en la actuación instintiva ante el peligro, en el placer del amor o en el sufrimiento ante la desgracia. Sufrimiento y placer que resumen la elección moral final de Cándido: la vida solamente tiene sentido a costa de no tenerlo.

Cándido, a pesar de todo, es capaz de la pasión y el entusiasmo. En una obra donde se suceden mil y una desgracias, el joven protagonista sólo llora tres veces. Cuando le separan de su amor: «Echado Cándido del paraíso terrestre, anduvo mucho tiempo sin saber adónde dirigirse, llorando, alzando los ojos al cielo»; en el desastre de Lisboa y, finalmente, cuando pasa delante del esclavo negro en Surinam que tenía cortadas la pierna izquierda y la mano derecha y que preguntado por Cándido contesta con un alegato contra la esclavitud: «No se nos da más ropa que un par de calzones de lona cada seis meses; si trabajamos en los trapiches, y la muela nos aplasta un dedo, nos cortan la mano; si nos queremos escapar, nos cortan una pierna; en ambos casos me he visto yo; y todo esto se hace para que ustedes coman azúcar en Europa.»

Así, la iniciación de Cándido en la vida se hace por una doble vía. El amar a Cunegunda le lleva a la desgracia. Ésta, por azar absurdo, le lleva de nuevo a Cunegunda. Si la prosa de Voltaire se mantiene sorprendentemente fresca, con un estilo elaboradamente sencillo, otro tanto se puede decir de la estructura del relato. Voltaire divide la obra en treinta capítulos que funcionan por la rápida sucesión de las acciones y no por la acumulación de lo narrado. Se ahorran las notaciones ambientales y de atmósfera, no se produce acumulación psicológica en los personajes, excepto en Cándido, a través de quien se sigue la novela. Esta planitud del texto, que hoy nos resulta distante y fría, viene contrapuesta por la simbolía de los viajes. Voltaire hace que Cándido, en su peregrinación, se desplace siempre hacia el Oeste, hacia Eldorado, y que, adquirida su madurez, cuando Cándido interpreta ya el mundo y se hace rico, cambie el rumbo y se desplace siempre hacia el Este, hasta Constantinopla, ciudad bisagra de Oriente y Occidente, donde recibirá de un sabio turco el último consejo que Cándido necesitaba. Esta misma estructura la repetirá Voltaire en la diseminación de las discusiones filosóficas entre los protagonistas, discusiones que hacen el papel de «héroe negativo». A lo largo de todo el relato sólo tres veces Cándido reflexiona sobre el sentido de la vida y la proporción de felicidad y tristeza que conlleva. Voltaire distribuye las discusiones de forma geométrica en el capítulo X, cuando Cándido va hacia el Oeste, en el capítulo XX, cuando va hacia el Este, y en el capítulo XXX, que cierra el relato.

Como contrapunto del vitalismo de Cándido, Voltaire introduce en el libro un segundo personaje, el filósofo Pangloss, que sufrirá el mismo devenir de Cándido y será, bajo forma de parodia, la voz —Leibniz y la metafísica del optimismo— ilustrada del texto: «Todo va bien en el mejor de los mundos posibles..., los males particulares forman parte del bien general.» Ante la desgracia, Pangloss permanecerá ciego de fe en la Providencia y el Bien. La realidad para Pangloss no tiene peso específico propio, será siempre coda y ejemplo de su pensamiento alienado. Ambos personajes reflejan la contradicción en que se movía Voltaire, las dos caras de una misma moneda: la barbarie. El vitalismo de Cándido es consecuencia de un mundo azotado por la ignorancia y Pangloss está perdido por lo irracional de su superstición filosófica.

Voltaire fustiga a la Iglesia pero cree en Dios; tiene fe en la razón pero desconfía del materialismo que conlleva, que sólo admite a nivel de sentimiento. Hasta su muerte, Voltaire seguirá fiel a la filosofía del optimismo. Cándido no es sino

otra vertiente literaria, brillante e irónica, de la filosofía de
Voltaire.

Francisco ALONSO

CRONOLOGÍA

VOLTAIRE	SU TIEMPO
1694. Nace Voltaire.	La Bruyère es elegido miembro de la Academia de Francia.
1709. *Oda a Santa Genoveva*.	
1713.	Tratado de Utrecht. Fin de la hegemonía francesa en Europa.
1715. *El cenagal* y *Anti-Giton*, poemas satíricos.	
1718. *Edipo*, tragedia.	
1719.	Defoe: *Robinsón Crusoe*.
1720. *Artemisa*, tragedia.	Montesquieu: *Cartas Persas*.
1723. *La Liga*, poema épico.	Saint-Simon: *Memorias*.
1725. *El indiscreto*, comedia.	
1726.	Swift: *Viajes de Gulliver*.
1727. *Ensayo sobre la poesía épica* y *Ensayo sobre las guerras civiles*.	
1728. *La Henriada*, poema épico.	
1730. *Bruto*, tragedia.	
1731. *Historia de Carlos XII*.	Prévost: *Manon Lescaut*.
1732. *Zaire*, tragedia.	
1733. *El templo del gusto*.	
1734. *Cartas filosóficas*.	Montesquieu: *Consideraciones sobre las causas de la grandeza de los romanos y de su decadencia*.
1735. *La muerte de César*.	
1738. *Elementos de la filosofía de Newton*.	Tratado de Viena y reparto de Europa.

1740.	Federico II accede al trono de Prusia.
1741. *Mahoma*, tragedia.	
1745. *La princesa de Navarra*, tragedia, y *La batalla de Fontenoy*, poema épico.	Montesquieu: *Diálogo de Sila y Eucrato*.
1746.	Muerte de Felipe V.
1747. *Zadig*, cuento.	
1748. *Semiramis*, tragedia.	Montesquieu: *El espíritu de las leyes*.
1749.	Diderot: *Carta sobre los ciegos*.
	Buffon: *Historia Natural*.
1750. *Orestes* y *Roma salvada*, tragedias.	Rousseau: *Discurso sobre las ciencias y las artes*.
1751. *El siglo de Luis XIV*, ensayo.	Primer volumen de la *Enciclopedia*.
1752. *Micromegas*, cuento.	
1753.	Buffon: *Discurso sobre el estilo*.
1755. *La doncella*, poema cómico.	Rousseau: *Discurso sobre la desigualdad*.
1756. *Poema sobre el desastre de Lisboa, Ensayo sobre las costumbres*.	Comienzo de La Guerra de los Siete Años.
1759. *Cándido, Relación de la enfermedad del jesuita Berthier, Historia de Pedro el Grande*.	Quesnay: *Tabla económica*. Sterne: *Tristram Shandy*.
1760.	Diderot: *La Religiosa*.
1761. *Cartas sobre «La nueva Eloísa»*.	
1762. *El sermón de los cincuenta*.	Rousseau: *Emilio*.
1763. *Tratado sobre la tolerancia*.	Fin de La Guerra de los Siete Años.
1764. *Diccionario filosófico portátil*.	Expulsión de los jesuitas de Francia.
1765. *Preguntas sobre los milagros* y *La educación de los jóvenes*.	
1766. *Relación de la muerte del caballero de La Barre*.	Turgot: *Reflexiones sobre la formación y distribución de las riquezas*.
1767. *El ingenuo* y *Las preguntas de Zapata*.	Expulsión de los jesuitas de España.

1768. *La princesa de Babilonia.*   Quesnay: *La Fisiocracia.*
1769. *Epístola a Horacio y Cartas a Amabed.*
1771. *Preguntas sobre la Enciclopedia.*
1774.   Advenimiento de Luis XVI.
1775. *Historia de Jenni y Elogio histórico de la razón.*
1776. *La Biblia por fin explicada.*
1778. *Irene,* tragedia. Muere Voltaire.   Alianza política entre Francia y Estados Unidos. Creación de la primera asamblea popular en Berry.

BIBLIOGRAFÍA

Obras Generales

Voltaire, por Gustave Lanson, París, 1906.
Voltaire, por André Maurois. París, 1935.
Voltaire, l'homme et l'oeuvre, por Raymond Naves. París, 1942.
Voltaire par lui-même, por René Pomeau. París, 1955.
Voltaire ou la Royauté de l'esprit, por Jean Orieux. París, 1966.

Edición Crítica

Cándido, por André Morize. París, 1931.
Cándido, por René Pomeau. París, 1931.

CÁNDIDO

O EL OPTIMISMO

CAPÍTULO I

DE COMO CÁNDIDO FUE EDUCADO EN UN HERMOSO CASTILLO Y DE QUÉ MANERA FUE EXPULSADO DEL MISMO

H ABÍA en Westfalia, en el castillo del señor barón de Thunder-ten-tronck, un joven a quien la naturaleza había dotado de hábitos modestos y encantadores. Su rostro dejaba adivinar su alma. Quizá por eso y porque hacía gala de un juicio recto y de un espíritu simple, se le llamaba Cándido. Los viejos criados de la casa sospechaban que era hijo de la hermana del señor barón y de un honesto y bonachón gentilhombre de la vecindad, a quien esta dama no había querido desposar porque el pobre no había podido demostrar en su haber nada más que sesenta y una aldeas, habiendo perdido asimismo el control de su árbol genealógico, por el correr inevitable del tiempo.

El señor barón era uno de los caballeros más poderosos de la Westfalia porque su castillo tenía una puerta y ventanas. Además, su salón estaba adornado con tapicerías. Todos los perros de sus corrales componían una jauría, en caso de necesidad; sus palafreneros hacían de picadores y el vicario de la aldea era su gran limosnero. Lo llamaban monseñor y todos reían cuando contaba cuentos.

La señora baronesa, que pesaba casi trescientas cincuenta libras, gozaba en toda la vecindad de una gran consideración y hacía los honores de la casa con una dignidad que la hacía aún más respetable. Su hija Cunegunda, de diecisiete años, era coloradota, fresca, gruesa y muy apetecible. El hijo del barón era en un todo digno de su padre. El preceptor Pangloss, oráculo de la casa, daba sus clases y el pequeño Cándido lo escuchaba con una buena fe, acorde con su edad y carácter.

Pangloss enseñaba la metafísica teologocosmolonigología. Probaba admirablemente que no existe efecto sin causa y que en este maravilloso mundo el más bello de los castillos era el del señor barón, y la señora, la mejor baronesa entre mil.

"Está demostrado—decía—que las cosas no pueden suceder de otro modo; porque estando todo hecho para un fin, todo es necesariamente bueno hasta llegar a ese fin. Notad bien que las narices han sido hechas para llevar las gafas; luego, usamos gafas. Las piernas están visiblemente instituidas para ser calzadas y por eso llevamos calzas. Las piedras se han formado para ser talladas y para hacer castillos; monseñor posee un bellísimo castillo; es perfectamente lógico que el mejor barón de la provincia esté magníficamente alojado; por último, los cerdos han sido hechos para ser comidos, y, en consecuencia, comemos cochinillo durante todo el año; para terminar, aquellos que dijeron que todo está bien, se equivocaron; debían haber dicho que todo es perfecto."

Cándido escuchaba atentamente y creía todo a pies juntillas porque encontraba que la señorita Cunegunda era bellísima, aunque jamás osó manifestárselo. A veces llegaba a la conclusión de que teniendo la dicha de haber nacido barón de Thunder-ten-tronck, el segundo grado de felicidad debía ser la señorita Cunegunda; el tercero, verla todos los días, y el cuarto, escuchar a su maestro Pangloss, el más grande filósofo de la provincia y, como consecuencia, del mundo entero.

Un día, Cunegunda paseaba cerca del castillo, en el bosque que hacía las veces de parque, cuando vio entre la maleza al doctor Pangloss, dándole una lección de física experimental a la camarera de su madre, que era una morena muy bonita y un tanto dócil. Como la señorita Cunegunda tenía una disposición especialísima hacia todas las ciencias, observó, sin rechistar, las reiteradas experiencias de las que era testigo; fue allí donde vio claramente la razón suficiente del doctor, los efectos y las causas, retirándose agitadísima, pensativa, deseosa de aprender y considerando la posibilidad de ser ella la razón suficiente del joven Cándido y viceversa.

Al encontrarse con Cándido al volver al castillo, se sonrojó violentamente; Cándido enrojeció también; ella le dio los buenos días con voz entrecortada y Cándido le empezó a hablar sin saber a ciencia cierta lo que le decía. Al día siguiente, después de almorzar, se encontraron detrás de un biombo, dejando caer Cunegunda su pañuelo y recogiéndoselo Cándido. Ella le tomó la mano, el joven besó la suya inocentemente, pero con una vivacidad, una sensibilidad y una gracia particularísimas; sus bocas se encontraron, sus ojos se inflamaron, sus rodillas flaquearon y las manos se les entorpecieron. El señor barón de Thunder-ten-tronck, que pasaba cerca, viendo esta causa y ese efecto, expulsó a Cándido del castillo. Cunegunda se desvaneció y fue socorrida por la señora baronesa, quedando todo el mundo consternado por los acontecimientos en el más bello y agradable de los castillos.

CAPÍTULO II

LO QUE LE SUCEDIÓ A CÁNDIDO ENTRE LOS BÚLGAROS

ARROJADO del paraíso terrestre, Cándido caminó bastante tiempo sin rumbo fijo, llorando, clamando al cielo, volviéndose con frecuencia a mirar el más bello de los castillos que encerraba la más bella de las baronesitas. Se acostó sin cenar en medio del campo, entre dos surcos; la nieve caía en gruesos copos. Transido de frío, al día siguiente se encaminó hacia la aldea vecina, que se llamaba Vald-berghov-trarbk-dikdorv, con los bolsillos vacíos, muerto de hambre y de cansancio. Se detuvo tristemente a las puertas de una taberna. Dos hombres vestidos de azul lo vieron:

—Camarada—dijo uno—: he aquí un joven muy bien formado y que tiene la talla requerida.

Se acercaron a Cándido y le rogaron su compañía para el almuerzo muy cortésmente.

—Señores—les dijo Cándido con una modestia encantadora—: me hacéis un gran honor, pero, a decir verdad, no tengo con qué pagar el gasto.

—Pero, ¡señor!—exclamó uno de los azules—, las personas con vuestra figura y de vuestro mérito no tienen por qué pagar nada jamás: ¿no tenéis vos cinco pies y cinco pulgadas de alto?

—Sí, señores, ésa es mi talla—dijo Cándido haciendo una reverencia.

—Entonces, señor, sentaos a la mesa; no solamente os pagaremos la comida, sino que os daremos también un poco de dinero; los hombres han sido hechos para ayudarse los unos a los otros.

—Tienen ustedes razón—dijo Cándido—; es eso exactamente lo que siempre me dijo Pangloss, y bien puedo ver que, como él decía, todo es perfecto.

Le hicieron aceptar algunos escudos y, al tomarlos, quiso pagar con ellos el almuerzo; no le dejaron y se pusieron a comer:

—¿Amáis tiernamente?...

—¡Oh, sí!—respondió—, amo tiernamente a la señorita Cunegunda.

—No—dijo uno de los caballeros—; os preguntamos si no amáis tiernamente al rey de los búlgaros.

—Nada de eso—dijo Cándido—, jamás lo he visto.

—¡Cómo!, es el más encantador de los reyes y vamos a brindar por él.

—¡Con mucho gusto, señores!—y bebió.

—Es suficiente—le dijeron—; de ahora en adelante seréis el sostén, el apoyo, el defensor, el héroe de los búlgaros; vuestra fortuna está hecha, vuestra gloria asegurada.

Sobre la marcha, le pusieron grillos en los pies y lo condujeron a un regimiento. Le hicieron dar vueltas a la derecha, a la izquierda, sacar la baqueta, meterla otra vez, apuntar, tirar, doblar el paso, dándole a continuación treinta bastonazos; al día siguiente logró hacer el ejercicio mucho mejor y sólo recibió veinte golpes; al tercer día no le dieron más que diez y todos sus camaradas le miraron como un prodigio.

Estupefacto, Cándido no podía ni siquiera adivinar

claramente las razones de su heroicidad. En un hermoso día de primavera salió a pasear, siguiendo un camino recto, creyendo que poder servirse de sus piernas libremente era sólo un privilegio de la especie humana y de la animal. No había caminado todavía dos leguas, cuando cuatro héroes de seis pies lo alcanzaron, le ataron y se lo llevaron a un calabozo. Preguntáronle jurídicamente qué deseaba más: ser baqueteado treinta y seis veces por todo el regimiento, o recibir de una sola vez doce balas de plomo en el cerebro. No queriendo ni lo uno ni lo otro, y a pesar de creer en las voluntades libres, debió escoger y se decidió, en virtud del don de Dios que se llama libertad, a pasar treinta y seis veces por las baquetas; soportó dos pases. El regimiento, compuesto de dos mil hombres, propinó al pobre Cándido cuatro mil baquetazos, dejándole, desde el cuello hasta el trasero, todos los músculos y los nervios al descubierto. Viendo que el tercer pase iba a dar comienzo, no pudiendo aguantar más, Cándido pidió, por favor, que tuvieran la bondad de romperle el cráneo. Una vez concedida la gracia, le vendaron los ojos y lo pusieron de rodillas. En ese momento el rey de los búlgaros pasaba por allí; viendo la escena, preguntó la clase de crimen cometido por el reo. Como este rey era muy inteligente, comprendió por todo lo que le informaron acerca de Cándido que el joven era un metafísico ignorante de las cosas de este mundo, concediéndole de inmediato un indulto, clemencia que deberá forzosamente ser alabada en todos los periódicos y durante muchos siglos. Un excelente cirujano curó a Cándido en tres semanas con todos y los mejores emolientes descritos por Dioscórides. La piel ya comenzaba a crecer y podía caminar, cuando el rey de los búlgaros presentó batalla al rey de los abaros.

CAPÍTULO III

DE CÓMO CÁNDIDO ESCAPÓ DE ENTRE LOS BÚLGAROS Y LO QUE LE SUCEDIÓ

DIFÍCILMENTE habría podido verse algo más bello, lucido, brillante y ordenado como aquellos dos ejércitos. Las trompetas, los clarines, los oboes, los tambores, los cañones, formaban una armonía tal, como jamás habría habido en los infiernos. Primero, los cañones derribaron más o menos seis mil hombres en cada bando. Después, la mosquetería arrebató del mejor de los mundos alrededor de nueve o diez mil pícaros que infestaban la superficie. La bayoneta fue también más que razón suficiente en la desaparición por muerte de unos cuantos miles de hombres. El todo, bien podría sumar una treintena de miles de hombres. Cándido, temblando como un filósofo, se escondió lo mejor que pudo durante toda la matanza heroica. Al fin, mientras que los dos reyes hacían entonar un *tedéum* en cada campo, decidió irse a razonar sobre los efectos y las causas, teniendo que hacer un camino regado de muertos y heridos antes de llegar a una aldea vecina, encontrando la misma reducida a escombros. Esta pequeña aldea abara había sido quemada por los búlgaros, según las leyes del derecho público. Por todos lados yacían viejos con el cuerpo acribillado, que dirigían miradas postreras hacia sus mujeres degolladas con los hijos mamando de sus ensangrentados pechos; las jóvenes mostraban sus vientres abiertos, después de haber servido para satisfacer las necesidades naturales de algunos héroes, y exhalaban sus últimos suspiros. Otras, medio quemadas, pedían a gritos que se acabase con ellas. Por el suelo, sesos humanos hallábanse esparcidos, al lado de brazos y piernas cercenadas.

Cándido huyó despavorido hacia otra aldea. Pertenecía ésta a los búlgaros, y los héroes abaros le habían otorgado idéntico trato. Siempre marchando sobre miembros palpitantes, a través de ruinas, llegó Cándido, por fin, a encontrarse fuera del teatro de la guerra, llevando algunas provisiones en su mochila y no olvidándose ni por un momento de la señorita Cunegunda. Los alimentos comenzaron a faltarle al llegar a Holanda, pero confiando en la riqueza de la gente del país, y sabiendo que aquel pueblo era cristiano, no dudó en recibir un trato semejante al que le habían dado en el castillo del señor barón antes de que los bellos ojos de la señorita Cunegunda causaran su desgracia.

Pidió limosna a varios personajes, quienes le respondieron que corría el riesgo de ser encerrado en un correccional para enseñarle a vivir si insistía en ejercer ese oficio.

A continuación se dirigió a un hombre, quien había estado hablando sobre la caridad humana durante una hora en una gran asamblea. Este orador, mirándole de reojo, le dijo:

—¿Qué venís a hacer aquí? ¿Estáis por la buena causa?

Cándido repuso modestamente que no había efecto

sin causa y que todo estaba encadenado y arreglado necesaria y perfectamente.

—Me separaron del lado de la señorita Cunegunda —dijo—; fui pasado por las baquetas y me ha sido preciso pedir el pan hasta tanto me lo pueda ganar; todo esto no podía menos de suceder.

—Amigo mío—le contestó el orador—: ¿creéis vos que el papa sea el anticristo?

—No había nunca escuchado semejante cosa hasta este momento—respondió Cándido—; el que lo sea o no, no impide que a mí me falte el pan.

—Tú no mereces comerlo—dijo el otro—; anda, miserable, no se te ocurra acercarte a mí en tu vida.

La mujer del orador, que se había asomado a la ventana, viendo un hombre que dudaba que el papa fuese el anticristo, le tiró a la cabeza un... ¡Oh cielos, a qué extremos llegan las mujeres en su celo religioso!

Un hombre que no había sido bautizado, un buen anabaptista, llamado Santiago, observó el trato ignominioso y cruel que recibía uno de sus hermanos, un bípedo desplumado que tenía alma, y se lo llevó a su casa, le limpió, le dio pan y cerveza, le regaló dos florines y pretendió enseñarle a trabajar en sus industrias textiles, en sus manufacturas de telas de Persia que se fabrican en Holanda. Cándido, casi prosternado, dijo:

—Ya me lo había asegurado el maestro Pangloss: todo es perfecto en este mundo; porque me ha impresionado muchísimo más vuestra infinita generosidad que la dureza del señor del manto negro y de su esposa.

Al día siguiente, mientras se paseaba, encontró un miserable cubierto de pústulas, con los ojos muertos, la punta de la nariz roída, torcida la boca, negros los dientes, que hablaba gangosamente y que cada vez que tosía con violencia escupía un diente debido al esfuerzo.

CAPÍTULO IV

DE CÓMO CÁNDIDO ENCONTRÓ A SU ANTIGUO MAESTRO DE
FILOSOFÍA, EL DOCTOR PANGLOSS, Y LO QUE LE SUCEDIÓ

CONMOVIDO más de lástima que de horror, Cándido
entregó al pobre infeliz los dos florines que le había regalado el buen anabaptista. El fantasma le miró
fijamente y, comenzando a llorar, le hechó los brazos
al cuello. Cándido retrocedió asustado.

—¡Cómo!—dijo el miserable—, ¿no reconocéis ya a
vuestro querido Pangloss?

—¿Qué es lo que escucho? ¡Vos, mi querido maestro, vos en ese espantoso estado! ¿Qué desgracia os ha
sucedido? ¿Por qué no estáis ya en el más bello de los
castillos? ¿Qué le ha sucedido a la señorita Cunegunda,
la perla entre las bellas, la obra cumbre de la naturaleza?

—No puedo más—dijo Pangloss.

Y Cándido condujo a su pobre maestro a la caballe-
riza del anabaptista, donde le dio a comer un poco de
pan. Cuando se repuso un poco le preguntó:

—¿Y Cunegunda?

—Ha muerto—respondió el otro.

Al oír esto, Cándido se desmayó. Su amigo procuró

reanimarlo con un poco de vinagre que por casualidad había en el establo. Al abrir los ojos, Cándido exclamó:

—¡Cunegunda muerta! ¿Dónde estás tú, entonces, mejor de los mundos? Pero, ¿de qué mal ha muerto?

—De ningún mal—dijo Pangloss—; fue despanzurrada por los sables búlgaros, después de haber sido violada, como únicamente puede serlo una mujer. Los soldados rompieron la cabeza al señor barón, que quiso defenderla; la señora baronesa fue despedazada; mi pobre pupilo fue tratado como su hermano; y en cuanto al castillo, no ha quedado en él piedra sobre piedra, ni granos, ni graneros, ni patos, ni carneros, ni aun los árboles quedaron en pie. Eso sí, fuimos bien vengados porque los abaros hicieron otro tanto en una baronía de la vecindad que pertenecía a un señor búlgaro.

Al oír este espantoso relato, Cándido volvió a desmayarse; pero vuelto en sí, y habiendo dicho todo lo que en un caso semejante debía decir, trató de inquirir así la causa como el efecto y la razón suficiente que llevaran a Pangloss a un estado tan lastimoso.

—¡Ay de mı!—dijo el filósofo—; ha sido el amor, el amor consuelo del género humano, sostén del universo, alma de todos los seres sensibles, el tierno amor.

—¡Oh!—dijo Cándido—; he conocido ese amor, ese soberano de corazones, ese alma de nuestra alma; ese amor que sólo me brindó un beso y veinticinco puntapiés en el trasero. ¿Cómo tan bellísima causa ha podido produciros un efecto tan abominable?

Pangloss contestó en estos términos:

—¡Ah, mi querido Cándido! Vos mismo conocisteis a Paquita, aquella bella sirvienta de nuestra augusta baronesa; en sus brazos gusté de las delicias del paraíso, que son las que me produjeron estos tormentos infernales que me están devorando: estaba infestada y tal vez haya muerto. Paquita había recibido ese regalo de un fraile franciscano, muy sabio, quien había conocido el origen del mal: una vieja condesa que lo había recibido a su vez de un capitán de caballería, el cual se lo debía a una marquesa, a quien había contagiado un paje, habiéndolo recibido éste de un jesuita, que, a su vez, siendo novicio, lo adquirió en línea recta de uno de los acompañantes de Cristóbal Colón. Por mi parte, no podré legárselo a nadie, porque me muero.

—¡Oh Pangloss—exclamó Cándido—, qué extraña genealogía! ¿No habrá sido el diablo el origen de tamaño linaje?

—Nada de eso—replicó el gran hombre—; ésta era una cosa indispensable en el mejor de los mundos, un ingrediente necesario. Porque si Colón no hubiera atrapado la enfermedad en una isla de América, esa enfermedad que envenena toda fuente de generación y que con frecuencia impide la misma, oponiéndose a los fines específicos de la naturaleza, nosotros no habríamos tenido la suerte de conocer el chocolate ni la cochinilla. Además, es preciso observar que hasta el día de hoy, en nuestro continente, esta enfermedad constituye una de nuestras particularidades, así como la controversia. Los turcos, los indios, los persas, los chinos, los siameses, los lapones, no la conocen todavía, pero siempre habrá una razón suficiente para que la conozcan a su vez dentro de algunos siglos. Mientras tanto, ha progresado enormemente entre nosotros y, sobre todo, ha sentado sus reales entre esos grandes ejércitos que deciden la suerte de los estados. Sin temor a equivocaciones, bien puede asegurarse que cuando combaten dos tropas de treinta mil hombres respectivamente, cerca de veinte mil, en ambos bandos, tienen el virus.

—He aquí algo que resulta admirable—dijo Cándido—, pero es preciso que os curéis.

—¿Cómo haré?—dijo Pangloss—. No tengo un cuarto, amigo mío, y en toda la extensión del globo es imposible conseguir que lo sangren a uno o recibir una lavativa sin pagar, no habiendo otra persona que pague.

Esto último decidió a Cándido; se arrojó a los pies de su caritativo anabaptista y le pintó un cuadro tan conmovedor sobre el estado en que su amigo se encontraba que el buen hombre no dudó en recoger al doctor Pangloss y pagarle las curas. Este último sólo perdió en las curaciones un ojo y una oreja. Como escribía bien y era un gran aritmético, el anabaptista lo convirtió en su tenedor de libros. Al cabo de dos meses, teniendo que irse a Lisboa por asuntos comerciales, llevó consigo en su barco a los dos filósofos. Pangloss insistía en explicarle lo magnífico e inmejorable de todo el mundo. Santiago no pensaba lo mismo.

—Hay que reconocer—decía—que los hombres han corrompido la naturaleza, porque no habiendo nacido lobos, se han convertido en tales. Dios no les ha dado ni cañones del veinticuatro ni bayonetas; ellos se encargaron de fabricarlos para destruirse. Podría añadir a la lista las bancarrotas y la justicia, que se apodera de los bienes de los quebrados para frustrar a los acreedores.

—Pero es que todo es necesario—replicaba el doctor tuerto—; además, está demostrado que las desgracias particulares hacen siempre el bien general: cuantos más males particulares haya, tanto más crece aquél.

Mientras que así razonaban, el cielo se oscureció, los vientos comenzaron a soplar desde los cuatro puntos del globo y el barco, ya a la vista del puerto de Lisboa, se vio envuelto en una terrible tempestad.

CAPÍTULO V

L A mitad de los pasajeros, debilitados, agonizantes por
las angustias terribles que el movimiento de los
barcos producen sobre los nervios y sobre todos los
humores del cuerpo agitados en sentido contrario, ni se
daban cuenta de lo que les sucedía, ni percibían el peligro que los rodeaba. La otra mitad lanzaba gritos y
rezaba; las velas estaban rasgadas, los palos rotos, el
barco partido en dos. Trabajaba el que podía y nadie
lograba entenderse ni dar órdenes precisas. El anabaptista ayudaba un poco a la maniobra y se mantenía
sobre cubierta, cuando un marinero furioso le dio tan
terrible golpe que lo tumbó por el suelo, mas como
consecuencia del golpe recibió a su vez tan violenta sa-
cudida que cayó de cabeza al agua, con tan buena fortuna que pudo agarrarse milagrosamente a un palo roto.
El buen Santiago le socorrió de inmediato ayudándole
a subir, pero a causa del esfuerzo cayó al mar a la vista
misma del marinero, quien lo dejó perecer sin dignarse
siquiera mirarlo. Acercóse Cándido y, viendo a su bien-

hechor a punto de perecer, quiso arrojarse al mar en su ayuda, pero el filósofo Pangloss se lo impidió, demostrándole que la rada de Lisboa había sido dispuesta expresamente para que en ella se ahogara el anabaptista. En tanto que él lo probaba *a priori,* el barco terminó de abrirse, pereciendo todo el mundo, excepto Pangloss, Cándido y el brutal marinero que había dejado ahogar al virtuoso anabaptista: el truhán ganó a nado la orilla, adonde Cándido y Pangloss pudieron llegar asidos a una tabla.

Al volver en sí marcharon hacia Lisboa. Todavía les quedaba algún dinero, con el cual esperaban satisfacer un poco el hambre después de haberse salvado del naufragio.

Apenas pusieron el pie en la villa, llorando la muerte de su bienhechor, sintieron que la tierra temblaba bajo sus pies. El mar se revolvía furioso en el puerto, haciendo pedazos los barcos que estaban anclados. Torbellinos de llamas y cenizas cubrían las calles y las plazas, las casas se derrumbaban, los techos se desplomaban sobre los cimientos y estos últimos se desmoronaban. Treinta mil habitantes de todas edades y sexos fueron aplastados bajo las ruinas. Silbando y jurando, decía el marinero:

—Algo se podrá ganar aquí.

—¿Qué razón suficiente será la causa de este fenómeno?—cavilaba Pangloss.

—¡Éste es el fin del mundo!—exclamó Cándido.

Lo primero que hizo el marinero fue correr hacia las ruinas, afrontar la muerte por hallar dinero, encontrarlo, apoderarse de él y emborracharse. Después de dormir la mona compró los favores de la primera moza de buena voluntad que encontró entre las ruinas de las casas destruidas y entre los montones de muertos y heridos. Al ver esto, Pangloss lo reprendió de esta manera:

—Amigo mío—le decía—, no está bien lo que hacéis, faltáis a la razón universal, empleáis mal vuestro tiempo.

—¡Rayos y centellas!—respondió el malandrín—, soy un marinero nacido en Batavia, pisé cuatro veces los crucifijos en los viajes que hice a Japón; hallaste justo la horma de tu zapato, tú, el de la razón universal.

Las piedras habían herido a Cándido y hallábase tendido en la calle, cubierto de sangre, diciéndole a Pangloss:

—¡Por favor!, procuradme un poco de vino y aceite; me muero.

—Ciertamente, este temblor de tierra no es una novedad—respondió Pangloss—; la ciudad de Lima sufrió las mismas sacudidas en América el año pasado: las mismas causas, los mismos efectos. Debe haber debajo de la tierra un reguero de azufre que ha llegado desde Lima hasta Lisboa.

—Es muy probable—respondió Cándido—, pero, ¡por Dios, un poco de aceite y vino!

—¡Cómo probable!—contestó el filósofo—. Sostengo que es algo ya demostrado.

Cándido perdió el sentido y Pangloss le trajo entonces un poco de agua de una fuente inmediata.

Habiendo encontrado algunas provisiones, se deslizaron entre los escombros y repararon un poco sus fuerzas. En seguida se ocuparon, como los demás, en socorrer a los habitantes que habían escapado con vida. Algunos ciudadanos, agradecidos, brindáronles una comida tan buena como en medio de un desastre semejante podía conseguirse. La comida fue tristísima; los convidados regaban el pan con sus lágrimas y Pangloss trataba de consolarlos diciéndoles que las cosas no podían ser de otro modo:

—Todo aquí es perfecto—decía—, porque si en Lisboa hay un volcán, es porque no puede estar en otro lado; es imposible que las cosas dejen de estar en donde deben estar, luego todo está perfecto.

Un hombre pequeño y enlutado, integrante de la inquisición y que se hallaba a su lado, tomó cortésmente la palabra y dijo:

—Por lo que veo, este caballero no cree en el pecado original, porque si todo está perfectamente, no hubiera debido haber ni caída ni castigo.

—Pido muy humildemente perdón a vuestra excelencia—respondió Pangloss con más cortesía aún—; la caída del hombre y la maldición entraban necesariamente en el mejor de los mundos posibles.

—¿El señor no cree, pues, en la libertad?—dijo el inquisidor.

—Vuestra excelencia me excusará, pero la libertad puede subsistir junto con la necesidad absoluta. Era necesario que nosotros fuésemos libres, pues, para que la voluntad determinada...

Pangloss estaba en la mitad de su frase, cuando el servidor de la inquisición hizo una seña con la cabeza a su esbirro, que le servía vino de Porto o de Oporto.

CAPÍTULO VI

DE CÓMO SE HIZO UN MAGNÍFICO AUTO DE FE PARA IMPEDIR
LOS TEMBLORES DE TIERRA, Y CÓMO CÁNDIDO FUE AZOTADO

DESPUÉS del temblor de tierra que había destruido las tres cuartas partes de Lisboa, los sabios de la ciudad no encontraron un medio más eficaz para evitar la ruina total que dar al pueblo un magnífico auto de fe. La universidad de Coimbra dictaminó que el espectáculo de algunas personas quemadas a fuego lento con grandes ceremonias sería el secreto infalible para impedir nuevos temblores de tierra.

Se escogió a un vizcaíno culpable de haberse casado con su comadre y a dos portugueses que al comer un pollo habían tirado la grasa. Después de la comida se acercaron a donde estaban Cándido y el doctor Pangloss y los ataron, a uno por haber hablado y a otro por haber asentido con señales de aprobación; los dos fueron conducidos separadamente y alojados en departamentos donde reinaba una frescura extrema y donde jamás molestaba el sol. Ocho días después, los vistieron con un sambenito y les adornaron las cabezas con mitras de papel; las vestiduras de Cándido tenían pintadas llamas al revés y diablos sin cola ni uñas; las del doctor llevaban llamas derechas y diablos con potentes uñas y larguísimas colas. Así vestidos marcharon en procesión y escucharon un sermón muy patético, seguido de una bella música salmodiada. Mientras cantaban, Cándido fue azotado, el vizcaíno y los portugueses fueron quemados y Pangloss fue ahorcado, a pesar de no ser ésa la costumbre. Aquel mismo día la tierra volvió a temblar con una violencia espantosa.

Espantado, estupefacto, desatinado, cubierto de sangre y tembloroso, Cándido se decía a sí mismo: "Si éste era el mejor de los mundos, ¿cómo serán los otros? El que a mí me hayan azotado, vaya y pase; total, ya me habían hecho lo mismo los búlgaros. Pero, ¡oh mi querido Pangloss, el más grande de los filósofos!, ¿era necesario veros ahorcar sin saber siquiera el motivo? ¡Oh mi querido anabaptista!, ¿era acaso necesario que os ahogarais en el puerto? ¡Oh señorita Cunegunda, perla entre las bellas!, ¿era necesario que os abrieran en canal?"

Volvíase ya sin poderse apenas sostener de puro predicado, azotado, absuelto y bendecido, cuando se le acercó una vieja y le dijo:

—Valor, hijo mío; seguidme.

CAPÍTULO VII

DE CÓMO UNA VIEJA SE INTERESÓ POR CÁNDIDO Y EN QUÉ
FORMA ENCONTRÓ ÉSTE A SU AMADA

SIN mucho entusiasmo, Cándido siguió a la vieja, quien lo condujo hacia una casucha, diole una pomada para untarse, trájole de comer y de beber y le mostró un lecho bastante limpio, cerca del cual había un traje completo.

—Comed, bebed y dormid—le dijo—, y que nuestra señora de Atocha, el señor san Antonio de Padua y el glorioso Santiago de Compostela os guarden. Mañana volveré.

Admirado ante todo lo visto y todo lo sufrido, y más aún ante la caridad de la vieja, Cándido quiso besarle la mano.

—Mi mano no es ciertamente la que debéis besar —dijo la vieja—: mañana volveré. Untaos con la pomada, comed y dormid.

A pesar de sus desgracias, Cándido comió y se durmió. Al día siguiente la vieja le trajo que almorzar, le miró la espalda y le frotó con pomada, volviendo a la noche con la cena. Al otro día se repitieron idénticas escenas.

—¿Quién sois?—le preguntaba una y otra vez Cándido—. ¿Quién os ha inspirado tanta bondad? ¿Cómo podré corresponderos?

La buena mujer no le respondía nunca. A la noche volvió sin traerle la cena.

—Venid conmigo—le dijo—, pero no habléis una palabra.

Tomándolo del brazo, caminaron juntos por el campo durante un cuarto de milla. Al cabo, llegaron a una casa completamente aislada y rodeada de canales y jardines. Al llamar la vieja a la puerta le abrieron en seguida y condujo a Cándido por una escalera secreta a un gabinete dorado; le hizo sentar sobre un canapé de brocado y cerró la puerta, yéndose. Creyendo que soñaba, Cándido no podía menos de creer que toda su vida pasada no había sido sino un sueño funesto y el momento presente un sueño encantador.

La vieja apareció en seguida sosteniendo con trabajo a una mujer temblorosa, de majestuoso talle, brillante en pedrerías y oculta bajo un velo.

—Quitadle ese velo—ordenó la vieja a Cándido.

Se acercó éste, levantó el velo con mano tímida. ¡Qué momento! ¡Qué sorpresa! Creyó ver a la señorita Cunegunda, y, en efecto, allí estaba ella. Perdiendo las fuerzas y sin poder articular palabra, cayó a sus pies. Cunegunda se desmayó también sobre el canapé. La vieja aplicóles en seguida sales y aguas espirituosas. Al volver en sí pudieron hablarse. Las primeras palabras se interrumpían ante preguntas, respuestas, suspiros, lágrimas y gritos. La vieja les recomendó no hacer tanto ruido y se alejó, dejándolos en libertad.

—¿Sois vos?—dijo Cándido—. ¡Vivís y os encuentro en Portugal! Luego, ¿no fuisteis violada? ¿No os abrieron el vientre como Pangloss me había asegurado?

—Sí, ciertamente—dijo la bella Cunegunda—, mas no siempre estos accidentes tienen que causar la muerte.

—Pero, ¿a vuestro padre y a vuestra madre los asesinaron?

—Es una triste verdad—respondió Cunegunda llorando.

—¿Y vuestro hermano?

—A mi hermano lo mataron de igual manera.

—¿Y por qué estáis en Portugal? ¿Cómo os habéis enterado que yo también estaba? ¿Por qué extraña aventura me habéis hecho conducir a esta casa?

—Ya os contaré todo—replicó la dama—, pero antes es preciso que me digáis lo que os ha pasado desde aquel beso de inocente que me disteis y por el cual recibisteis algunos puntapiés.

Con un profundo respeto, aunque algo desconcertado, Cándido asintió, y con la voz temblorosa, doliéndole las costillas todavía, le refirió con la mayor ingenuidad todo lo que había sufrido desde el momento de su separación. Cunegunda, alzando los ojos al cielo, derramó lágrimas ante el relato de la muerte del buen anabaptista y de Pangloss. Una vez que Cándido completó su historia, le habló en estos términos, mientras el joven, que no perdía una palabra, la devoraba con la mirada.

CAPÍTULO VIII

CUNEGUNDA CUENTA SU HISTORIA

—Dormía yo profundamente en mi cama, cuando quiso el cielo enviar a los búlgaros a nuestro bello castillo de Thunder-ten-tronck; degollaron a mi padre y a mi hermano y despedazaron a mi madre. Un búlgaro enorme, de seis pies de alto, viendo que ante semejante espectáculo yo había perdido el sentido, se aprovechó y me violó. Esto me hizo volver en mí, recobré mis sentidos y grité, intenté defenderme, le mordí, lo arañé, quise arrancarle los ojos, ignorando que todo lo que estaba sucediendo en nuestro castillo era una cosa común y corriente. El bestia me dio una cuchillada en el flanco izquierdo y todavía se me puede ver la marca.

—¡Espero verla!—dijo el inocente Cándido.

—Ya la veréis—dijo Cunegunda—, pero continuemos.

—Continuad—dijo Cándido.

Reanudando el hilo de su historia, Cunegunda dijo así:

—Un capitán búlgaro entró en esos momentos, y al verme toda ensangrentada y al ver al soldado que se obstinaba en no desprenderse de mí, se encolerizó por el poco respeto que le demostraba aquel bruto y lo mató allí mismo, todavía encima de mí. Me hizo curar en seguida y me condujo en calidad de prisionera de guerra a su cuartel. Yo le lavaba las pocas camisas que tenía, guisaba y preciso es reconocer que le parecía muy bella, no estando él nada mal formado. Tenía la piel blanca y suave, aunque carecía de talento y no era filósofo: se veía a las claras que no había tenido ningún trato con el doctor Panglos. Al cabo de tres meses, habiendo perdido todo su dinero y ya cansado de mí, me vendió a un judío llamado don Isaac, que traficaba con Holanda y Portugal y que amaba con pasión a las mujeres. Este judío se aficionó en seguida a mí, pero no logró vencerme, porque le resistí aún más que al soldado búlgaro: una doncella honrada puede ser violada una vez, pero su virtud se robustece. Para amansarme me trajo a esta casa de campo que aquí veis. Por ese entonces yo creía que no había en la tierra cosa tan bella como el castillo de Thunder-ten-tronck; me he desengañado. Un día, el inquisidor mayor me vio en misa, miróme fijamente y me mandó decir que tenía que hablarme sobre asuntos secretos. Me llevaron a su palacio, le dijeron quién era y, al recibirme, me espetó cuán impropio era para una persona de mi rango el pertenecer a un israelita, según mi opinión, y comenzó a hacer proposiciones a don Isaac para que me cediera. Don Isaac, banquero de la corte y con mucho crédito, no quiso escuchar ni una palabra. El inquisidor lo amenazó con un auto de fe, y mi judío, atemorizado, hizo un convenio, por el cual tanto la casa como yo les pertenecíamos a los dos en común. Los lunes, miércoles y sábados el judío sería el amo, y el inquisidor los otros días de la semana. Hace ya seis meses que dura el convenio, que ha ocasionado a veces algunas disputas, porque alguna que otra vez ha surgido la duda de si la noche del sábado al domingo pertenecía al *Nuevo* o al *Antiguo testamento*. Por mi parte, he rechazado hasta el presente a ambos y creo que conservo su amor por esta causa. Para conjurar los temblores de tierra y por intimar a don Isaac, el señor inquisidor tuvo a bien celebrar un auto de fe. Me hizo un gran honor al invitarme y me colocaron en un sitio preferente, sirviéndose refrescos a las damas en el intervalo de la misa y de la ejecución. Cuando vi que quemaban a los dos judíos y al honrado vizcaíno que se había casado con su comadre, casi morí de espanto. Mas mi horror, mi turbación y mi sorpresa no tuvieron límites cuando creí adivinar una figura parecida a la de Pangloss disfrazada con un sambenito y una mitra. Me froté los ojos, miré atentamente y al ver que lo ahorcaban me desmayé. Apenas recobrados mis sentidos os vi desnudo, en cueros. Esto último fue para mí el colmo del dolor, de la consternación, del horror y de la desesperación. Os diré que tenéis la piel más blanca y de un encarnado más suave que la de mi capitán de los búlgaros. Esta visión redobló todos los sentimientos que me abrumaban, que me devoraban. Quise gritar, quise decir: "¡Deteneos, bárbaros!", pero me faltó la voz y además mis gritos hubieran sido inútiles. Cuando estuvisteis bien azotado, pensé: "¿Cómo es posible que tanto el amable Cándido como el sabio Pangloss se encuentren en Lisboa, el uno recibiendo cien latigazos y el otro para ser ahorcado por orden del señor inquisidor que tanto me ama? Entonces, Pangloss me engañaba cuando me decía que todo marcha de un modo perfecto." Agitada, extraviada, tan pronto furiosa como muerta de debilidad, no podía dejar de pensar en la matanza de mi padre, mi madre, mi hermano; en la insolencia del soldado búlgaro, en el cuchillazo recibido, en mi esclavitud, en mi ocupación como cocinera, en mi capitán búlgaro, en mi villano don Isaac, en mi abominable inquisidor, en el ahorcamiento del doctor Pangloss, en el gran miserere salmodiado que se interpretó mientras os azotaban, y, sobre todo, no podía dejar de pensar en aquel beso que me disteis detrás del biombo el día en que os vi por última vez. Alabé a Dios que os hacía retornar a mi lado después de tantas pruebas. Encargué a mi buena vieja que os cuidara y os trajese cuando pudiera, y como podéis ver ha ejecutado mi encargo con toda fidelidad. He tenido ya el inmenso placer de volver a oíros y de hablaros. Debéis tener un hambre atroz; comeremos, pues yo también tengo apetito.

Los dos se sentaron a la mesa, y después de cenar volvieron a ocupar el canapé que se ha mencionado. Allí estaban cuando el señor don Isaac, uno de los dueños de la casa, llegó de repente. Como era sábado, venía a usar de sus derechos y a demostrarle a Cunegunda su amor profundo.

CAPÍTULO IX

ISAAC era el hebreo más colérico que se vio en Israel desde la cautividad de Babilonia.

—¡Cómo—dijo—, perra de Galilea!, ¿no tienes bastante con el señor inquisidor? ¿Hace falta que te comparta también con este miserable?

Diciendo esto, extrajo un enorme puñal que nunca lo abandonaba, e ignorando que Cándido iba armado se arrojó sobre él. Pero nuestro westfaliano, que había recibido una espada magnífica junto con el traje que le entregó la vieja, la sacó, y a pesar de ser de condición pacífica, ensartó al israelita, quien rodó por el suelo y murió a los pies de la bella Cunegunda.

—¡Virgen santísima!—dijo ella—, ¿qué va a ser de nosotros? ¡Un hombre muerto en mi casa! Si viene la justicia estamos perdidos.

Cándido comentó que si Pangloss no hubiese sido ahorcado les hubiese dado un buen consejo en ese apuro, porque era un gran filósofo.

—A falta del buen maestro, consultemos a la vieja —agregó.

Ésta era muy prudente y ya empezaba a hablar cuando se abrió otra pequeña puerta. Era la una de la mañana, y, por consiguiente, el comienzo del domingo. Este día pertenecía al señor inquisidor, quien entró y vio al azotado Cándido con la espada en la mano, un cadáver en el suelo, a Cunegunda asustada y a la vieja dando consejos.

He aquí lo que en ese momento pasó por la mente de Cándido y cómo razonó: "Si este hombre pide socorro, seguramente me hará quemar y quizá haga lo mismo con Cunegunda; me ha hecho apalear cruelmente, es mi rival. Mis manos están ya ensangrentadas y no cabe, pues, vacilar." Su razonamiento fue rápido y claro, sin dar tiempo al inquisidor de volver de su sorpresa, lo traspasó de parte a parte, arrojándole al lado del judío.

—¡Otra muerte más!—exclamó Cunegunda—. ¡No hay remisión para nosotros, estamos excomulgados, llegó nuestra última hora! ¿Cómo os habéis atrevido vos, de ordinario tan pacífico, para matar en dos minutos a un judío y a un prelado?

—Mi bella señorita—respondió Cándido—, cuando uno está enamorado, celoso y ha sido azotado por la inquisición, es capaz de cambiar su pellejo en un instante.

La vieja tomó la palabra y dijo:

—En la cuadra hay tres caballos andaluces, sillas y frenos; que los apreste el valiente Cándido, y como la señorita tiene fondos y diamantes, montemos aprisa, aun cuando yo sólo me puedo sostener con una nalga, y vayámonos a Cádiz. Hace un tiempo hermosísimo y viajar con el fresco de la noche será todo un placer.

Cándido ensilló los tres caballos; con Cunegunda y la vieja hicieron treinta millas de un tirón. Mientras ellos se alejaban, la Santa Hermandad llegó a la casa abandonada y enterró a monseñor en una iglesia, arrojando al judío en un muladar.

Cunegunda, Cándido y la vieja llegaron a la pequeña villa de Aracena, en el centro de las montañas de Sierra Morena, y en una posada mantuvieron la siguiente conversación:

CAPÍTULO X

DE LA RAPIDEZ CON QUE CÁNDIDO, CUNEGUNDA Y LA VIEJA LLEGARON A CÁDIZ Y DE SU EMBARCO POSTERIOR

—¿QUIÉN me habrá robado mi dinero y mis diamantes?—decía llorando Cunegunda—. ¿Con qué vamos a vivir? ¿Qué haremos? ¿Dónde encontrar inquisidores y judíos que me den otras?

—Yo sospecho—dijo la vieja—de ese reverendo franciscano que durmió ayer en nuestra misma posada en Badajoz. ¡Dios me libre de hacer un juicio equivocado!, pero entró dos veces en nuestro cuarto y se marchó mucho antes que nosotros.

—¡Justo!—dijo Cándido—; el buen Pangloss me probaba muchas veces que los bienes de este mundo pertenecen a todos los hombres y que cada uno tiene sobre ellos idénticos derechos. Ese franciscano, de acuerdo con estos principios, debió dejarnos sólo lo necesario para acabar nuestro viaje. ¿No os queda absolutamente nada, mi bella Cunegunda?

—Ni un maravedí—dijo ella—. ¿Qué haremos?

—Vendamos uno de los caballos—dijo la vieja—; yo montaré a la grupa detrás de la señorita, aunque no pueda tenerme más que sobre una nalga, y llegaremos a Cádiz.

Un prior benedictino que estaba en la posada les compró el caballo a bajo precio. Los tres pasaron por Lucena, Chillas, Lebrija y llegaron por fin a Cádiz. En esa ciudad se estaba equipando una flota y se reunían las tropas para hacer entrar en razón a los padres jesuitas del Paraguay, quienes eran acusados de haberse sublevado contra los reyes de España y Portugal, cerca de la villa de Santo Sacramento. Cándido, que había servido entre los búlgaros, hizo los ejercicios militares delante del general de la pequeña armada con tanta gracia, destreza, arrogancia y agilidad, que le dieron el mando de una compañía de infantería. Ya capitán, embarcóse con la señorita Cunegunda, la vieja, dos criados y los dos caballos andaluces que habían pertenecido al señor inquisidor de Portugal.

Durante toda la travesía se entretuvieron en razonar mucho sobre la filosofía del pobre Pangloss.

—Vamos ahora a un nuevo mundo—decía Cándido—; será en ése donde con toda seguridad todo será perfecto, porque es preciso confesar que el nuestro sólo es motivo de lamentaciones, tanto en cuanto a lo físico como lo moral.

—Yo os amo con todo mi corazón—decía Cunegunda—, pero la verdad es que tengo mi·alma despavorida ante todo lo que he visto y por todo lo que he sufrido.

—Todo irá bien—replicó Cándido—; el mar del nuevo mundo es ya mejor que todos los mares de nuestra Europa, es más tranquilo y los vientos son mucho más constantes. No hay duda, el nuevo mundo debe ser el mejor de los mundos posibles.

—¡Dios lo quiera!—exclamó Cunegunda—; he sido tan desgraciada en el mío, que mi corazón está casi cerrado a la esperanza.

—Vos os quejáis—le dijo la vieja— y, sin embargo,

no habéis sufrido infortunios comparables a los míos.

Cunegunda casi se echó a reír pensando que se burlaba y creyendo ser más desdichada que la vieja.

—Vos—le decía—sólo habéis sido violada por dos búlgaros, os han dado dos cuchilladas en el vientre, os han demolido dos de vuestros castillos, han degollado ante vuestra vista dos padres y dos madres, habéis visto azotar a dos de vuestros amantes en un auto de fe, no creo posible que por sólo eso me llevéis ventaja.

—Añadid a todo eso que yo nací baronesa y he tenido que ser cocinera—respondió la vieja—. Vos no sabéis aún cuál es mi nacimiento, y si os enseñara mi trasero seguramente no hablaríais como habláis y cambiaríais vuestro juicio.

Estas palabras picaron horriblemente la curiosidad de Cunegunda y Cándido. La vieja comenzó a relatarles su historia de esta manera:

CAPÍTULO XI

LA VIEJA CUENTA SU HISTORIA

—No siempre he tenido los ojos cegatos ni enrojecidos, ni la nariz pegada a la barbilla, ni he sido siempre criada. Soy hija del papa Urbano décimo y de la princesa de Palestina. Hasta los catorce años viví en un palacio, para el cual vuestros castillos no hubieran servido ni como caballerizas y uno de mis trajes valía más que toda la magnificencia junta de Westfalia. Iba creciendo en belleza, en gracia y talento en medio de todos los placeres, respetos y esperanzas. Ya inspiraba amor y mi seno se desarrollaba, ¡y qué seno!, blanco, firme, tallado como el de la *Venus* de Médicis; ¡y qué ojos!, ¡qué párpados!, ¡qué cejas negras!, ¡qué llamas despedían mis pupilas, capaces de apagar las de las estrellas, como me cantaban los poetas de la comarca! Las mujeres que me desvestían y me vestían se extasiaban mirándome por detrás y por delante, habiendo querido ocupar ese puesto todos los hombres. Casáronme con un príncipe soberano de Massa-Carrara, ¡qué príncipe!, tan hermoso como yo, lleno de dulzuras y gracias, de entendimiento brillante y ardiente amor. Yo le amaba como sólo se ama la primera vez, con idolatría, transportada. Las bodas se prepararon; desplegáronse en ellas magnificencias desconocidas, llenas de fiestas, con carreras de caballos y óperas. Toda Italia me cantó sonetos, todos ellos excelsos. Llegaba ya el momento de completar mi dicha cuando una vieja marquesa, que había tenido relaciones con mi príncipe, le invitó a un chocolate y murió en menos de dos horas atacado de espantosas convulsiones; pero todo esto no es más que una bagatela. Mi madre, desesperada y casi más afligida que yo, quiso alejarse por algún tiempo de aquella mansión funesta. Poseía una magnífica finca cerca de Gaeta y para allá nos embarcamos en una galera del país, dorada como el altar de san Pedro en Roma. Pero he aquí que un corsario de Salé nos alcanza y nos aborda. Nuestros soldados se defendieron como soldados del papa: pusiéronse todos de rodillas, llorando y pidiendo al corsario una absolución *in articulo mortis*. Sin hacerles caso alguno los despojaron, dejándoles en cueros como micos, así como a mi madre, a nuestras camareras y a mí, ni más ni menos. Era de admirar la presteza con que estos señores desnudaban a las personas, pero lo que más me sorprendió fue que a todos nos hicieron meter el dedo en un sitio en donde nosotras las mujeres no nos dejamos meter de ordinario más que las cánulas. Esta ceremonia me pareció muy extraña; así se juzgan las cosas cuando no se ha salido nunca del propio país. Pronto me enteré que esto lo hacían para ver si habíamos ocultado allí diamantes; uso establecido hace tiempo inmemorial entre las naciones civilizadas que surcan los mares. Posteriormente he sabido que los señores religiosos caballeros de Malta hacen lo mismo cuando prenden a los turcos o turcas; es una ley mundana que no se ha derogado jamás. No hace falta que os diga lo duro que es para una princesa ser llevada esclava a Marruecos con su madre. Espero que comprenderéis los sufrimientos que soportamos en aquel bajel corsario. Mi madre era todavía muy hermosa, nuestras camareras tenían más encantos que los que pueden hallarse en África, y en cuanto a mí, era arrebatadora, bellísima, la gracia misma y además doncella: no lo fui por mucho tiempo. Esa flor que había sido reservada para el hermoso príncipe de Massa-Carrara me fue robada por el capitán corsario, quien era un negro espantoso que creía hacerme un honor al violarme. Afortunadamente, mi madre y yo éramos lo suficientemente fuertes y pudimos resistir todo lo que sufrimos hasta nuestra llegada a Marruecos. Pero pasemos adelante; lo que he contado puede ser tan común, que casi no hubiese merecido la pena mencionarlo. Marruecos estaba bañado en sangre cuando nosotros llegamos. Cincuenta hijos de Muley Ismael encabezaban cada uno su propio partido, lo que producía, en efecto, cincuenta guerras civiles: de blancos contra negros, de negros contra morenos, de morenos contra mulatos, de mulatos contra blancos; era una carnicería continua en toda la extensión del imperio. No habíamos desembarcado todavía cuando los negros de una fracción enemiga a la de mi corsario se presentaron dispuestos a quitarle el botín. Nosotras éramos, después del oro y los diamantes, lo que había de más precioso. Allí mismo presencié un combate que jamás podrá ser igualado en Europa. Los pueblos septentrionales no tienen la sangre tan ardiente, no tienen el furor de las mujeres en el grado de aquellos de África. Los europeos parece que tienen leche en sus venas; la que corre en las de los habitantes del monte Atlas y de los países vecinos no es sangre, es vitriolo, es fuego devastador. Se combatió con el furor de los leones, de los tigres y de las serpientes de la comarca para conseguirnos. Un moro cogió a mi madre por el brazo derecho, mientras el teniente de nuestro capitán la retenía por el izquierdo y un soldado moro la cogía por una pierna, teniéndola uno de nuestros piratas por la otra. Nuestras doncellas se encontraron en contados segundos en idéntica situación. Mi capitán me tenía oculta detrás de él; con la cimitarra en la mano mataba a cuanto ser humano se ponía a su alcance. En fin, que yo vi a mi madre y a mis doncellas despedazadas, sacrificadas y desgarradas por los monstruos que se las disputaban. Los cautivos, mis compañeros, los cautivadores, soldados, marineros, negros, morenos, blancos, mulatos y por fin mi capitán, todos, todos fueron asesinados y yo quedé agonizante sobre un montón de cadáveres. Como era sabido, en toda la extensión de más de trescientas leguas estas escenas se repetían, sin que por eso los creyentes dejasen de hacer las cinco plegarias diarias y prescritas por Mahoma. Con mucho trabajo logré desembarazarme de aquella multitud de cadáveres ensangrentados y me arrastré hasta la sombra que ofrecía un enorme naranjo que estaba en las orillas de un arroyo cercano. Caí postrada de espanto, de debilidad, de horror, de desesperación y de hambre. En seguida se apoderó de mí una somnolencia que tenía mucho más de desvanecimiento que de reposo. Me hallaba en ese estado de debilidad y de insensibilidad entre la vida y la muerte, cuando me sentí oprimida por algo que se agitaba sobre mi cuerpo. Al abrir los ojos pude ver a un hombre blanco y de buena presencia que suspiraba y murmuraba entre dientes: *"O che sciagura d'essere senza goglioni!"*

CAPÍTULO XII

LAS DESGRACIAS DE LA VIEJA CONTINÚAN

—Admirada y un tanto confortada al escuchar la lengua de mi país, y, a pesar de eso, un tanto confundida también ante las palabras que profería este hombre, le respondí que había desgracias mayores que aquella de la que él se quejaba; lo enteré en pocas palabras de los horrores que yo había sufrido y volví a caer desvanecida. Llevóme a su casa de inmediato, hízome acostar, me dio de comer, me sirvió, me consoló y aun me alabó, diciéndome que no había visto en su vida mujer más bella que yo y que jamás como entonces echó de menos lo que nadie le podía dar. "Yo he nacido en Nápoles—me dijo—, y todos los años se capan allí dos o tres mil niños. Los unos se mueren, otros adquieren una voz más bella que la de las mujeres y otros van a gobernar los estados. Me hicieron la operación con buen resultado y he sido músico de capilla de la señora princesa de Palestina." "¡De mi madre!", exclamé yo. "¡De vuestra madre!—dijo él admirado, y empezó a llorar—. ¡Cómo!, ¿sois acaso aquella joven princesa a quien di lecciones hasta la edad de seis años y que prometía ser tan bella como lo sois vos." "La misma, y mi infeliz madre se encuentra a cuatrocientos pasos de aquí, hecha pedazos sobre un montón de cadáveres..." Le referí cuanto me había sucedido y él me contó sus aventuras, diciéndome cómo había sido enviado al rey de Marruecos por una potencia cristiana para concretar con este monarca un tratado mediante el cual se le entregaría pólvora, cañones y barcos como ayuda para el exterminio del comercio de otros cristianos. "Como mi misión ha concluido—dijo el eunuco—, me embarcaré en Ceuta y os enviaré a Italia. *Ma che sciagura d'essere senza...*" Le di las gracias llorando de gratitud, pero sucedió que en lugar de llevarme a Italia me condujo a Argel y me vendió a un bey de esa provincia. En seguida de mi venta, la peste, que ha dado la vuelta a África, Asia y Europa, se declaró en Argel con furor. Vos, señorita, habréis visto temblores de tierra, pero ¿habéis tenido la peste alguna vez?

—Nunca—respondió la baronesita.

—Si la hubierais sufrido—dijo la vieja—, confesaríais que es aún peor que un temblor de tierra. Es algo muy común en África y yo fui atacada. Figuraos qué situación para la hija de un papa, joven de quince años, que en tres meses apenas había sufrido la pobreza, la esclavitud, había sido violada casi toods los días, había visto cortar en pedazos a su madre, había sufrido el hambre y la guerra, y moría apestada en Argel. Sin embargo, no morí; pero mi eunuco, el bey y casi todo el serrallo de Argel perecieron bajo los efectos de tan horrible epidemia. Habían ya pasado los primeros estragos de esta espantosa peste, cuando vendieron las esclavas del bey. Me adquirió un mercader y me condujo a Túnez; allí me vendió a otro mercader, que me vendió a su vez en Trípoli; allí fui vendida para Alejandría, y en esa ciudad revendida para Esmirna, y de Esmirna para Constantinopla. Pertenecí, en fin, a un agá de los jenízaros, que luego fue enviado a defender Azov contra los rusos que la habían sitiado. El agá, hombre muy galante, se llevó consigo todo su serrallo y nos alojó en un pequeño fuerte sobre los lagos Meotides, guardado por dos eunucos negros y veinte soldados. Matóse un número prodigioso de rusos, pero se tomaron el desquite. Azov fue pasado a sangre y fuego, no perdonando sexo ni edad. Lo único que quedaba en pie era nuestro pequeño fuerte, pero los enemigos nos sitiaron por hambre. Los veinte jenízaros habían jurado no rendirse, pero la debilidad a que los llevó el hambre extrema a que se vieron reducidos los impulsó a comerse a los dos eunucos, por no faltar al juramento. Al cabo de algunos días resolvieron comerse a las mujeres. Teníamos un imán muy piadoso y compasivo que les hizo un excelente sermón, con el cual casi los convenció de que nos nos mataran del todo. "Cortadles —dijo— solamente una nalga a cada una de las señoras y eso os reanimará; si es preciso repetir, tendréis otro tanto dentro de algunos días. Con seguridad el cielo os premiará por tan benéfica acción y seréis socorridos." Como era hambre de mucha elocuencia, los persuadió y se llevó a cabo la operación terrible. El imán nos aplicó el bálsamo que se les pone a los niños cuando los circuncidan: estuvimos a punto de morir. Cuando los jenízaros se habían comido lo que nosotras les habíamos proporcionado, llegaron los rusos en unos barcos muy extraños y no quedó un solo jenízaro en aquel pequeño fuerte. Los rusos ni se fijaron en el estado en que estábamos. Pero gracias a Dios que Francia surte de cirujanos a casi todo el mundo, porque uno de éstos, muy hábil, nos cuidó y nos curó. Me acordaré toda mi vida que cuando mis heridas estuvieron bien cicatrizadas se atrevió a hacerme ciertas proposiciones. Por lo demás, procuró consolarnos; nos dijo que en muchos lugares habían acaecido cosas muy semejantes y que ésta era la ley de la guerra. Una vez que mis compañeras estuvieron en condiciones de caminar, las enviaron a Moscú. Yo tuve suerte y un boyardo que gustó de mí, hizo de mi persona su jardinera y me daba veinte latigazos al día. Al cabo de dos años, habiendo sido ajusticiado este señor junto con otros treinta boyardos por algunos conflictos habidos en la corte, aproveché la ocasión y me escapé atravesando toda Rusia. Durante mucho tiempo, serví como criada en una taberna de Riga, después en Rostock, en Vismar, en Leipzig, en Cassel, en Utrecht, en Leyda, en La Haya y en Rotterdam. He envejecido en la miseria y el oprobio, con la particularidad de tener sólo medio trasero y no pudiendo olvidarme de que soy la hija de un papa. He querido matarme cientos de veces, pero todavía y a pesar de todo amo la vida. Esta debilidad ridícula es una de las inclinaciones más funestas, porque ¿hay cosa más necia que empeñarse en cargar continuamente con un fardo que uno puede arrojar cuando quiera, tener horror de la propia existencia y querer existir, y en fin, alimentar las serpientes que nos devoran hasta que nos roen las entrañas? En todos los países que mi suerte me hizo recorrer y en los figones donde he servido, he podido tratar un número prodigioso de personas que maldecían su existencia. Sólo he visto doce que hayan puesto voluntariamente fin a su miseria: tres negros, cuatro ingleses, cuatro genoveses y un profesor alemán que se llamaba Robeck. Yo he terminado por servir en la casa de don Isaac. Él me puso a vuestro lado, mi bella señorita; me he unido a vuestro destino y me he ocupado más de vuestras desventuras que de las mías. Jamás os hubiera hablado de mis desgracias si no hubiérais picado mi amor propio y si no fuera costumbre contar historias para distraernos mientras se viaja en barco. En fin, señorita, tengo experiencia y conozco el mundo; sólo por gusto, haced que cada pasajero os cuente su historia, y si hay uno que no haya maldecido su existencia, que no se haya dicho muchas veces a sí mismo que es el más desgraciado de los hombres, echadme al agua de cabeza.

CAPÍTULO XIII

DE CÓMO CÁNDIDO TUVO QUE SEPARARSE DE LA BELLA CUNEGUNDA Y DE LA VIEJA

DESPUÉS de haber escuchado a la vieja, Cunegunda le habló con toda la delicadeza debida a una persona de su rango y mérito. Aceptó la proposición y propuso a todos y cada uno de los pasajeros que le contaran sus aventuras. Tanto Cándido como ella tuvieron que reconocer lo acertada que estaba la vieja.

—Es una lástima—dijo Cándido—que el sabio Pangloss haya sido ahorcado contra la costumbre en los autos de fe; él nos diría, con seguridad, cosas admirables sobre los males físicos y morales que cubren la tierra y el mar, y yo me sentiría ante sus teorías con más fuerza para hacerle respetuosamente algunas objeciones.

Mientras que cada pasajero contaba su historia, el barco seguía avanzando. Llegaron a Buenos Aires, y Cunegunda, Cándido y la vieja, fueron a casa del gobernador, don Fernando de Ibarra y Figueroa de Mascarenes y Lampurdos de Souza. Este señor tenía tanta arrogancia como apellidos. Hablaba a los hombres con el más noble desdén, la frente erguida, alzando la voz y en un tono tan imperativo y afectando un desdén tan altanero, que todos aquellos que le saludaban, se sentían inclinadísimos a darle de bofetadas. Amaba con ardor a las mujeres y Cunegunda le pareció la más bella entre cuantas había visto en su vida. Lo primero que hizo fue preguntar si era la mujer del capitán. Por el tono con que planteó la pregunta, Cándido no se atrevió a decir que era su mujer, porque a decir verdad no lo era, y tampoco se atrevió a decir que era su hermana, porque también hubiese faltado a la verdad. Aunque ese tipo de mentira oficiosa haya estado en boga entre los antiguos y bien pudiera ser últil a los modernos, su alma era tan pura que no podía mentir.

—La señorita Cunegunda me ha concedido el honor de ofrecerme su mano y suplicamos a vuestra excelencia que sea el padrino de nuestros esponsales.

Don Fernando de Ibarra y Figueroa de Mascarenes y Lampurdos de Souza sonrió desdeñosamente atusándose el bigote y ordenó al capitán Cándido pasar revista a su compañía. Éste obedeció y el gobernador continuó al lado de Cunegunda. Declaróle su pasión, manifestándole que al día siguiente la haría su esposa ante el altar o ante lo que su belleza ordenase. Cunegunda le pidió un cuarto de hora para pensarlo, consultar a la vieja y decidirse.

La vieja le dijo a Cunegunda:

—Tenéis setenta y dos cuarteles de nobleza pero ni un solo cuarto. Está en vuestras manos la posibilidad de ser la esposa del más grande señor de América meridional, quien, además, tiene un bonito bigote. ¿Podéis acaso vanagloriaros de haber sido feliz hasta el momento? Fuisteis violada por los búlgaros; un judío y un inquisidor lograron vuestros favores; aunque no lo creáis, las desgracias dan también ciertos derechos.

No me avergüenza confesar que si yo estuviera en vuestro lugar, no dudaría en casarme con el señor gobernador, y trataría de hacer la fortuna del señor capitán Cándido.

Mientras hablaba con la prudencia que sólo dan la edad y la experiencia, se vio entrar en el puerto un pequeño barco: en él venían un alcalde y alguaciles; y ved lo que ocurrió.

La vieja no se había equivocado cuando afirmó que el causante directo del robo de las alhajas y el dinero de Cunegunda, en Badajoz, había sido el franciscano. Este monje quiso vender una piedra a un joyero, y el mercader había reconocido con presteza que la joya era de la propiedad del señor inquisidor. Antes de ser ahorcado, había confesado su robo y había señalado las personas a quienes había perjudicado, indicando la ruta que habían tomado. La fuga de Cándido, Cunegunda y la vieja, que había sido descubierta, originó el envío, sin pérdida de tiempo, de un barco en su seguimiento, y ese barco era el que se encontraba ya en el puerto de Buenos Aires. Se corrió enseguida la voz de que iba a desembarcar un alcalde y de que se estaba persiguiendo a los asesinos del señor inquisidor mayor. La prudente vieja indicó de inmediato lo que se debía hacer:

—Vos no podéis huir—dijo a Cunegunda—, y tampoco tenéis por qué temer, pues no fuisteis vos quien mató al inquisidor. Por otra parte, el gobernador, que os ama con locura, no consentiría jamás que se os maltratase... ¡Quedaos!

Corrió en seguida a buscar a Cándido, y le dijo:

—Huid o dentro de una hora seréis quemado.

No había un momento que perder...; mas, ¿cómo separarse de Cunegunda y dónde ocultarse?

CAPÍTULO XIV

DE CÓMO CÁNDIDO Y CACAMBO FUERON RECIBIDOS POR LOS JESUITAS DEL PARAGUAY

CÁNDIDO habíase traído de Cádiz un ayuda de cámara, de los que son tan comunes en las casas de España y en las colonias. Era un cuarentón español, hijo de un mestizo de Tucumán, y había sido niño de coro, sacristán, marinero, monje, comisionista, soldado y lacayo. Se llamaba Cacambo y quería mucho a su amo porque éste era un buen hombre. Ensilló a toda prisa dos caballos andaluces.

—Vamos, mi amo, sigamos el consejo de la vieja: partamos y corramos sin mirar atrás.

Cándido derramó lágrimas:

—¡Oh, mi amada Cunegunda!—exclamó—; tener que abandonaros cuando el gobernador iba a disponer nuestra boda... ¿Qué va a ser de ella, aquí, en donde no conoce a nadie?

—Que se arregle como pueda—dijo Cacambo—; las mujeres siempre tienen algún recurso; Dios proveerá...; corramos.

—¿Adónde me llevas? ¿Adónde vamos? ¿Qué haremos sin Cunegunda?—preguntó Cándido.

—¡Por Santiago de Compostela!—juró Cacambo—;

veníais a hacerle la guerra a los jesuitas, pues pasémonos al enemigo. Yo conozco bien los caminos, os guiaré a su reino y se alegrarán mucho de poder contar entre ellos con un capitán que sabe hacer el ejercicio a la búlgara. Haréis una fortuna prodigiosa; además, cuando un mundo nos niega lo que buscamos, hay que tratar de encontrarlo en otro. Y hacer cosas nuevas es siempre muy agradable.

—¿Conque ya has estado en Paraguay?—preguntóle Cándido.

—¡Ya lo creo!—contestó Cacambo—; fui fámulo en el colegio de la Asunción y conozco el gobierno de los padres como las calles de Cádiz. El gobierno de estas gentes es algo admirable. El reino tiene más de trescientas leguas de diámetro y está dividido en treinta provincias. Los curas lo poseen todo; los pueblos, nada; ésta es la obra maestra de la razón y de la justicia. En mi opinión, no hay cosa más divina que los padres; aquí hacen la guerra a los reyes de España y Portugal, y en Europa los confiesan. Aquí matan a los españoles y en Madrid los envían al cielo. Esto es sublime...; caminemos. Seréis el más dichoso entre los hombres. ¡Qué placer tendrán los padres cuando sepan que les ha llegado un capitán que sabe hacer el ejercicio a la búlgara!

Cuando llegaron a la frontera, Cacambo dijo a la guardia que un capitán quería hablar con el señor comandante. Fueron a avisar a la guardia mayor y un oficial paraguayo corrió a los pies del comandante diole el parte. Cándido y Cacambo fueron desarmados y les quitaron los caballos andaluces. Los introdujeron entre dos filas de soldados; el comandante estaba al frente con el tricornio en la cabeza, la sotana arremangada, la espada al costado y el serrucho en la mano. A una señal suya, veinticuatro soldados los rodearon. Un sargento les dijo que era preciso esperar, que el comandante no podía hablarles porque el reverendo padre provincial no permitía que ningún español abriese la boca más que en su presencia, y esto le habría retrasado más de tres horas.

—¿Y dónde está el reverendo padre provincial?— preguntó Cacambo.

—Está en la parada, después de haber dicho misa— dijo el sargento—, pero no podréis besarle las espuelas hasta dentro de tres horas.

—Pero—dijo Cacambo—el señor capitán, que está muerto de hambre como yo, no es español, es alemán... ¿No podríamos almorzar mientras esperamos a su reverencia?

El sargento comunicó esto al comandante, quien exclamó:

—¡Bendito sea Dios! Puesto que es alemán, le puedo hablar sin ninguna dificultad. ¡Que se le lleve de inmediato a mi alojamiento!

Cándido fue introducido en un gabinete adornado con una bonita columnata de mármol verde y oro, y con jaulas que cobijaban papagayos, colibrís, pájaros-moscas, pintadas y las más extrañas aves. Un excelente almuerzo había sido dispuesto en vajilla de oro, y mientras que los papagayos comían maíz en tazas de madera, en medio del campo, bajo un sol abrasador, el reverendo padre comandante penetró en su alojamiento.

Era este padre un joven arrogante, grueso, bastante blanco, encarnado, alto de cejas. Tenía los ojos vivos, las orejas sonrosadas, los labios rojos, el ademán altivo, pero de una altivez que no era ni española ni jesuita. Les devolvieron las armas que les habían quitado, así como los caballos andaluces. Cacambo les dio avena y los situó cerca de ellos, para no perderlos de vista en caso de alguna sorpresa.

Besó Cándido el hábito del comandante y enseguida se pusieron a comer.

—¿Así que sois alemán?—le preguntó el joven jesuita en esa lengua.

—Sí, mi reverendo padre—dijo Cándido.

Al decir esto, se miraban como con sorpresa, y comenzó a embargarles una emoción que no podían dominar.

—¿Y a qué país de Alemania pertenecéis?—dijo el jesuita.

—A la provincia de Westfalia; nací en el castillo de Thunder-ten-tronck—contestó Cándido.

—¡Oh cielos! ¿Será posible?—exclamó el comandante.

—¡Qué milagro!—dijo Cándido.

—¿Seréis vos?—preguntó el comandante.

—¡Es imposible!—contestó Cándido.

Se arrojaron el uno sobre el otro y al abrazarse derramaron torrentes de lágrimas.

—¿Seréis vos, mi reverendo padre, el hermano de la bella Cunegunda, a quien mataron los búlgaros, el hijo del señor barón, jesuita en Paraguay? Es preciso confesar lo extraño que puede llegar a ser este mundo. ¡Oh Pangloss, Pangloss, qué feliz seríais si no os hubieran colgado del pescuezo!

El comandante hizo retirar los esclavos negros y los paraguayos, que les escanciaban los vinos en vasos de cristal de roca. Dio mil veces las gracias a Dios y a san Ignacio y oprimía a Cándido entre sus brazos, teniendo ambos el semblante bañado en lágrimas.

—Más os asombraríais, más os enterneceríais, más

os pondríais fuera de vos—dijo Cándido—si yo os dijera que la señorita Cunegunda, vuestra hermana, que creíais despanzurrada, está sana y salva.

—¿Dónde?

—Cerca de vos, en el palacio del señor gobernador de Buenos Aires; y yo venía aquí para haceros la guerra.

Cada palabra pronunciada en esta conversación aumentaba su mutuo asombro. Hacíanse los dos todo lengua y oídos, y sus almas, excitadas, brillaban a través de sus pupilas. Como eran alemanes, estuvieron largo rato de sobremesa, esperando al reverendo padre provincial; y el comandante empezó a relatarle a Cándido lo siguiente:

CAPÍTULO XV

—TENDRÉ presente toda mi vida el día horrible en
que vi matar a mi padre, a mi madre y violar
a mi hermana. Cuando los búlgaros se retiraron, no
se pudo encontrar a Cunegunda y pusieron en una
carreta a mi madre, a mi padre, a mí, a dos sirvientes
y a tres niños degollados. Nos llevaban a enterrar en
una capilla de los jesuitas, a dos leguas del castillo
de mis padres. Un jesuita nos echó agua bendita; estaba horriblemente salada y me entraron algunas gotas
en los ojos. El padre, que se dio cuenta del movimiento de mis párpados, puso su mano sobre mi corazón y le
sintió palpitar. Fui socorrido y al cabo de tres semanas
me encontré ya curado. Ya sabéis, querido Cándido,
que yo cra hermoso. Después lo fui aún más, así que
el reverendo padre Croust, superior de la casa, me
demostró la más tierna amistad. Diome el hábito de
novicio y algún tiempo después fui enviado a Roma.
El padre general tenía urgente necesidad de una nueva remesa de jóvenes jesuitas alemanes. Los soberanos
del Paraguay prefieren los jesuitas extranjeros en vez
de los españoles porque los creen más dominantes. Cre-

yéndome a propósito para venir a trabajar en esta viña, me destinaron a esta ciudad y partí en compañía de un polaco y un tirolés. Fui ordenado a nuestra llegada de subidácono y nombrado subteniente; actualmente soy coronel y sacerdote. Esperemos tranquilamente las tropas del rey de España y yo os respondo de que serán batidas y excomulgadas. La providencia os envía aquí para secundarnos; pero ¿estáis seguro de que mi querida hermana Cunegunda está en el palacio del gobernador de Buenos Aires?

Cándido le juró que no había cosa más cierta, y las lágrimas volvieron a correr en abundancia.

El barón no se cansaba de abrazar a Cándido, llamábale su hermano, su salvador:

—¡Ah, quién sabe si podremos entrar los dos victoriosos en la villa y rescatar a mi hermana!

—Eso es lo que más deseo—dijo Cándido—, porque quiero hacerla mi esposa y aún espero lograrlo.

—¡Insolente!—repuso el barón—. ¿Tendríais la osadía de casaros con mi hermana, que posee setenta y dos cuarteles? Considero que sois un osado al atreveros a hablarme de un proyecto semejante.

Cándido, petrificado al oír esto, le respondió:

—Mi reverendo padre, todos los cuarteles del mundo nada significan para mí. Yo he sacado a vuestra hermana de entre las garras de un judío y de un inquisidor; me debe atenciones y desea casarse conmigo. El maestro Pangloss me dijo siempre que los hombres son iguales y seguramente me casaré con ella.

—¡Eso lo veremos, bribón!—dijo el jesuita, barón de Thunder-ten-tronck, y al mismo tiempo que decía esto, le dio a Cándido un golpe tremendo en la cara con la espada de plano.

Sacó éste furioso la suya y la metió hasta la empuñadura en el vientre del barón jesuita. Al retirarla humeante, se puso a llorar.

—¡Oh Dios mío!—decía—, he matado a mi antiguo señor, mi amigo, mi cuñado. Soy el mejor hombre del mundo y sin embargo he matado ya a tres hombres, y dos de ellos sacerdotes.

Cacambo acudió en seguida, pues estaba de centinela en la puerta, y le dijo:

—No queda otro remedio que vender cara nuestra vida; van a caer sobre nosotros y será preciso morir con las armas en la mano.

Cacambo, que se había visto en apuros mayores, conservó la serenidad y cogiendo el traje de jesuita que llevaba el barón, se lo puso a Cándido, le hizo montar a caballo y todo quedó listo en un instante.

—Galopemos, padre mío; todo el mundo os tomará por un jesuita que va a dar órdenes y cuando quieran perseguirnos, ya habremos atravesado la frontera.

Mientras corrían a todo galope, gritaba Cacambo en español a cuantos encontraban:

—¡Paso, paso al reverendo padre coronel!

CAPÍTULO XVI

DE LO QUE LES SUCEDIÓ A LOS VIAJEROS CON DOS MU-
CHACHAS, DOS MONOS Y CON LOS SALVAJES OREJONES

Y A habían pasado la frontera y en el campamento
nadie se había enterado todavía de la muerte del
jesuita alemán. Cacambo, siempre diligente, había tenido
cuidado en llenar una valija con pan, chocolate, jamón,
frutas y algunas pintas de vino. Se internaron con sus
caballos andaluces en un país desconocido, donde no
pudieron hallar sendero alguno. Al fin, se encontraron
ante una bella pradera regada por arroyuelos. Nuestros dos viajeros soltaron los caballos para que pa-
ciesen y Cacambo propuso a su amo que comiera, dándole el ejemplo.

—¿Cómo quieres—dijo Cándido—que coma jamón,
cuando acabo de matar al hijo del señor barón y me
veo condenado a no volver a ver a la bella Cunegunda
en mi vida? ¿De qué me servirá prolongar mis miserables días, puesto que he de arrastrarlos lejos de ella
entre el remordimiento y la desesperación? ¿Qué dirá
de todo esto el *Journal de Trevou?*

A pesar de hablar con tanta pesadumbre, no dejaba
por ello de comer. El sol se ponía cuando los dos
extraviados creyeron oír gritos de mujeres. No podían

diferenciar bien si era de dolor o de alegría, pero se levantaron rápidamente con la inquietud y alarma que inspiran todas las cosas en un país desconocido. Esos gritos eran proferidos por unas muchachas que corrían desnudas como almas que lleva el diablo por el borde de la pradera, mientras que dos monos las perseguían mordiéndoles las nalgas. Cándido les tuvo compasión y como había aprendido a tirar entre los búlgaros y hubiese sido capaz de quitar una avellana de entre unas zarzas sin tocar éstas, tomó su escopeta española de dos cañones, tiró y mató a los dos monos.

—¡Loado sea Dios!, mi querido Cacambo, ya he librado de un gran peligro a esas pobres muchachas: si pequé matando a un inquisidor y a un jesuita, he tratado de repararlo salvando la vida a esas pobres inocentes. Quizá sean señoritas de condición, y esta aventura a lo mejor nos proporciona grandes ventajas en este país.

Iba a seguir, pero no pudo articular palabra al ver que las muchachas abrazaban tiernamente a los dos monos, derramando tiernas lágrimas sobre sus cuerpos y llenando el aire con los más dolorosos lamentos.

— ¡No esperaba encontrar almas tan bondadosas!— le dijo a Cacambo. Éste le replicó:

—¡Buena la habéis hecho, mi amo; acabáis de matar a los dos amantes de estas señoritas!

—¡Sus amantes! ¿Será posible? ¿Os burláis de mí, Cacambo? ¡No os puedo creer!

—Mi querido señor—replicó Cacambo—, todo os asombra. ¿Qué tiene de malo el que en algunos países haya monos que obtienen los favores de las damas? Son cuarterones de hombre, como yo lo soy de español.

—¡Es cierto!—dijo Cándido—. Me acuerdo que Pangloss me contaba que en otros tiempos habían sucedido accidentes semejantes y que de estas mezclas habían nacido seres como los faunos y los sátiros; que muchos grandes personajes de la antigüedad los habían visto. Yo creía que todo era una fábula.

—Pues me imagino que ya os habréis dado cuenta —dijo Cacambo—de que son ciertas y de paso podéis observar el comportamiento de personas que no han recibido educación alguna. Lo que me temo es que estas damas nos jueguen una mala pasada.

Todo esto decidió a Cándido, y dejaron la pradera internándose en el bosque. Cenaron y después de haber maldecido al inquisidor de Portugal, al gobernador de Buenos Aires y al barón, se durmieron sobre el césped. Al despertar notaron que no podían moverse y la razón de ello era que durante la noche los orejones, indígenas del país, ante quienes las muchachas los habían denunciado, les habían atado con cuerdas hechas de corteza de árbol. Los rodearon cincuenta orejones, todos armados con flechas, mazas y hachas de piedra. Los unos calentaban una gran caldera, los otros preparaban asadores y todos gritaban:

—¡Un jesuita! ¡Un jesuita! Nos vengaremos y nos regalaremos; comamos jesuita, comamos jesuita.

—Ya os lo había dicho yo—dijo Cacambo con tristeza—; aquellas dos muchachas nos han traicionado.

Cándido, mirando los asadores, dijo:

—De seguro nos asarán y nos cocerán. Ah, ¿qué diría el maestro Pangloss al ver la naturaleza en toda su pureza? Está todo bien, lo acepto, pero no puedo menos de confesar que es bien cruel el haber perdido a la señorita Cunegunda y estar a punto de ser asado por los orejones.

Cacambo, que nunca perdía la cabeza, dijo:

—No desesperéis; yo entiendo un poco la jerga de estos salvajes y voy a hablarles.

—No dejéis de señalarles—dijo Cándido—lo horroroso de su actitud y lo poco que coincide con las máximas del cristianismo.

—Señores—dijo Cacambo—, ¿pensáis comeros a un jesuita? Muy bien hecho, nada más justo que tratar así a los enemigos. El derecho natural nos enseña a matar al prójimo; así se hace en todas partes. Si nosotros no nos comemos a nuestros semejantes es porque tenemos otras cosas con que alimentarnos, pero ya veo que vosotros no tenéis los mismos recursos. A decir verdad, más vale comerse los enemigos que abandonar el fruto de la victoria a los grajos y a los buitres. Lo que os quiero decir es que estáis por comeros a amigos y no a enemigos. Creísteis poner en el asador a un jesuita y no os habéis dado cuenta que colocasteis al enemigo de vuestros enemigos. Yo he nacido en vuestro país, el señor es mi amo, y, lejos de ser un jesuita, acaba de matar uno y se viste con sus ropajes: ésa es la causa de vuestro engaño. Si queréis probar lo que os digo, si desconfiáis, tomad sus ropas, llevadlas a la primera frontera del reino de los padres e informaos si mi amo ha matado a un oficial jesuita. Poco tiempo necesitáis, y si os hemos mentido, podréis comernos con entera libertad. Si vierais que os hemos dicho toda la verdad, supongo que conoceréis bastante los principios de derecho público, las costumbres y las leyes, y nos dejaréis en libertad.

Los orejones, encontrando el discurso muy razonable, mandaron a dos notables para que se informasen de la verdad. Los dos diputados supieron desempeñar su cargo con juicio y volvieron pronto trayendo buenas nuevas. Desataron a los prisioneros, les hicieron toda clase de obsequios, les ofrecieron muchachas, les brindaron refrescos y los acompañaron hasta los confines de sus estados, gritando con alegría: "¡No es un jesuita! ¡No es un jesuita!"

Cándido no se cansaba de admirar la causa de su nueva liberación.

¡Qué pueblo!—decía—¡Qué hombres! Si yo no hubiese tenido el honor de haber atravesado con mi espada el cuerpo del hermano de la señorita Cunegunda, hubiera sido comido sin remedio. Después de todo, la naturaleza en su pureza es maravillosa, puesto que estas pobres gentes, en lugar de comerme, me han hecho mil obsequios en cuanto han sabido que no era un jesuita.

CAPÍTULO XVII

LLEGADA DE CÁNDIDO Y DE SU AYUDA DE CÁMARA AL PAÍS DE ELDORADO Y LO QUE VIERON

UNA vez que llegaron a las fronteras de los orejones, Cacambo le dijo a Cándido:

—Ya habréis podido observar que este hemisferio no vale mucho más que el nuestro; hacedme caso, volvamos a Europa por el camino más corto.

—¿Cómo volver—dijo Cándido—, y adónde iríamos? Si vuelvo a mi país, los búlgaros y los abaros me degüellan; si vuelvo a Portugal seré quemado; si nos quedamos en este país corremos el riesgo de que nos pongan en el asador en cualquier momento. Pero, ¿cómo dejar la parte del mundo en donde habita la señorita Cunegunda?

—Volvamos hacia Cayena—dijo Cacambo—; allí encontraremos franceses y ellos podrán ayudarnos; Dios tendrá, tal vez, piedad de nosotros.

Ir a Cayena no era empresa fácil. Conocían poco más o menos la dirección a seguir, pero las montañas, los ríos, los precipicios, los ladrones y los salvajes ofrecían obstáculos insalvables. Los caballos murieron de cansancio, las provisiones se acabaron. Se alimentaron durante un mes entero de frutos salvajes y llegaron por fin a las orillas de un pequeño río en cuyos bordes abundaban los cocoteros, que sostuvieron sus esperanzas, así como también sus existencia.

Cacambo, que daba siempre tan buenos consejos como la vieja, dijo a Cándido:

—No podemos seguir más, hemos andado demasiado. Veo un bote en la orilla, llenémoslo con cocos, subamos en él y sigamos la corriente. Un río conduce siempre a algún lugar habitado. Si no encontramos cosas agradables, por lo menos serán nuevas para nosotros.

—Vamos, pues—dijo Cándido—, y encomendémonos a la providencia.

Navegaron algunas leguas entre las orillas del río, ya áridas, ya florecidas, y el mismo se iba ensanchando poco a poco, perdiéndose al fin bajo una bóveda de espantosas rocas que se elevaban hasta el cielo. Se atrevieron a dejarse llevar por la corriente debajo de la bóveda, y el río, estrechándose en ese sitio, los arrastró con un ruido y una rapidez horribles. Al cabo de veinticuatro horas volvieron a ver la luz, pero habiéndose roto el bote debido a los golpes contra los escollos, tuvieron que arrastrarse de roca en roca durante una lengua entera. Al fin descubrieron un horizonte inmenso, rodeado de montañas inaccesibles. El país estaba cultivado con inteligencia, sirviendo al mismo tiempo de recreo y utilidad. Por todas partes, a lo útil se unía lo agradable; los caminos eran recorridos por carruajes hermosos y hechos de una materia que brillaba; los conducían hombres y mujeres de gran belleza y los arrastraban carneros rojos que superaban en rapidez a los mejores caballos andaluces de Tetuán y de Mequínez.

—Estamos ciertamente—dijo Cándido—ante un país que vale más que Westfalia.

Se detuvieron en la primera villa que encontraron y vieron a algunos niños vestidos con brocados de oro desgarrados y que jugaban a la rayuela en la entrada del pueblo. Nuestros dos hombres se divertían mirándolos; los tejos eran grandes piezas redondas, amarillas, rojas y verdes que despedían un brillo singular. Picóles la curiosidad y levantaron algunas; unas eran de oro, otras de esmeralda y de rubí, la menor de las cuales hubiera sido el mayor ornamento del trono del mogol.

—Estos niños—dijo Cacambo—deben ser los hijos del rey del país que juegan a la rayuela.

El maestro apareció en esos momentos para hacerles entrar en la escuela.

—Éste—dijo Cándido—debe ser el preceptor de palacio.

Los pequeños dejaron de jugar en seguida, arrojando los tejos y todo lo que les había servido de diversión al suelo. Cándido recogió todo y fue a presentárselo humildemente al preceptor, declarándole por señas que sus altezas reales habían olvidado aquel oro y pedrería. El maestro, sonriendo, los tiró de nuevo al suelo, miró por un momento la figura de Cándido con sorpresa y siguió su camino

Los viajeros recogieron el oro, los rubíes y las esmeraldas.

—¿En dónde estaremos?—exclamó Cándido—. Los hijos de los reyes de este país deben estar muy bien educados, pues desprecian el oro y las pedrerías.

Cacambo estaba tan sorprendido como su amo. Se acercaron a la primera casa del pueblo, que estaba construida como el mejor palacio de Europa. Mucha gente se agolpaba en la puerta y se veía mucha más aún dentro. Una música muy agradable salía del interior y podía percibirse un exquisito olor a comida. Cacambo se acercó y oyó que hablaban en peruano; ésta era su lengua nativa, pues había nacido, como ya sabemos, en una aldea del Tucumán, en donde no se hablaba otra lengua.

—Yo os serviré de intérprete—dijo a Cándido—; entremos, pues esto parece ser una hostería.

Dos mozos y dos mozas de la hostería, vestidos con telas de oro y recogidos los cabellos con cintas, los invitaron a sentarse en la mesa de la posada. Sirviéndoles cuatro menestras adornadas cada una con dos papagayos, un cóndor cocido que pesaba doscientas libras, dos monos asados de un gusto excelente, trescientos colibríes en un plato y seiscientos pájaros-moscas en otro; exquisitos guisos, pasteles deliciosos y todo ello servido en platos de un material parecido al cristal de roca. Servían también una gran variedad de licores hechos con caña dulce.

Los convidados eran, en su mayor parte, comerciantes y cocheros de una finura extrema, quienes hicieron algunas preguntas a Cacambo con mucha discreción, y respondieron a las que los dos viajeros les hacían muy satisfactoriamente.

Terminado el almuerzo, Cacambo, así como Cándido, creyeron pagar con largueza su comida echando sobre la mesa de la posada dos de aquellas grandes piezas de oro que habían recogido. El posadero y la posadera soltaron la carcajada y tuvieron que sostenerse el estómago para no reventar. Se contuvieron y dijeron:

—Señores, vemos que sois extranjeros y no estamos acostumbrados a verlos. Perdonadnos si nos hemos echado a reír al ver que nos queríais pagar con las piedras de nuestros caminos. Carecéis, sin duda, de la moneda corriente en nuestro país, pero tampoco es preciso tenerla para comer aquí. Todas las posadas establecidas para la comodidad del comercio son mantenidas por el gobierno. Aquí no habéis comido muy bien, pero en otras aldeas más ricas que la nuestra seréis recibidos como merecéis.

Cacambo tradujo las palabras del posadero a Cándido y éste lo escuchaba con la misma atención y asombro con que su ayuda de cámara había escuchado al posadero.

—¿Qué país será éste—se preguntaban el uno al otro—, desconocido en todo el resto del mundo y donde la naturaleza es tan diferente de la nuestra? Debe ser probablemente el país en donde todo está bien, porque es absolutamente necesario que exista uno de esta especie. Y a pesar de lo que decía Pangloss, he podido ver muchas veces en Westfalia que todo iba pésimamente.

CAPÍTULO XVIII

DE LO QUE VIERON EN EL PAÍS DE ELDORADO

CÁNDIDO demostró mucha curiosidad ante lo que veía y el posadero le dijo:

—Yo soy muy ignorante y no lo lamento, pero tenemos aquí un viejo muy sabio retirado de la corte, que es el hombre más sabio del reino y más comunicativo.

Condujo a Cacambo hacia la casa del cortesano, y Cándido le acompañó, puesto que, como ignoraba el idioma, sólo representaba un personaje secundario. Entraron en una casa muy modesta, pues la puerta no era más que de plata y el artesonado de los marcos de oro, pero estaba todo tan bien labrado que hubiera causado envidia al mejor artesano. La antecámara estaba incrustada de rubíes y esmeraldas, cosa que indicaba una sencillez extrema, pero todo se hallaba tan ordenado que uno se olvidaba en seguida de esa sencillez y humildad.

El anciano los recibió en una otomana rellena de plumas de colibrí y les sirvió licores en vasos de diamante; después de lo cual comenzó a hablar así:

—Tengo ciento setenta y dos años, y por mi difunto padre, escudero del rey, supe de las revoluciones asombrosas del Perú, que él había presenciado. El reino en donde os encontráis es la antigua nación de los incas, que muy imprudentemente lo abandonaron para conquistar nuevas tierras y fueron destruidos posteriormente por los españoles. Los príncipes de la familia que no abandonaron su país natal fueron más prudentes: ordenaron ante el beneplácito general que no saliese jamás de este territorio ninguno de sus habitantes. Esa medida tan sabia ha sido la que nos ha brindado nuestra inocencia y felicidad. Los españoles conocieron muy confusamente este país, le dieron el nombre de Eldorado, y un caballero inglés, sir Walter Raleigh, llegó a estar muy cerca de nuestras costas, hace de eso unos cien años. Afortunadamente, como estamos rodeados de rocas inaccesibles y de precipicios, nos hemos librado hasta el momento de la rapacidad de las naciones europeas, que tienen un furor inconcebible y unos deseos enormes por todo lo que sea oro y piedras, y que por conseguir esto serían capaces de matarnos a todos.

La conversación fue muy extensa; se habló sobre la forma de gobierno, sobre las costumbres, las mujeres, los espectáculos públicos, sobre las artes, etc. Cándido, inclinándose siempre por la metafísica, hizo que Cacambo preguntase al anciano sobre si existía en ese país algún tipo de religión.

Enrojeciendo, el anciano contestó:

—¿Acaso lo dudáis? ¿Pensáis acaso que somos unos ingratos?

Cacambo le preguntó humildemente cuál era la religión de Eldorado.

—¿Puede acaso haber dos religiones?—contestó el anciano—; tenemos la religión de todo el mundo, adoramos a Dios, de la noche a la mañana.

—¿Sólo adoráis un dios?—preguntó Cacambo, que seguía oficiando de intérprete.

—Yo creo—dijo el anciano—que no hay ni dos, ni tres, ni cuatro dioses. Os aseguro que estoy de lo más asombrado ante las preguntas que me planteáis.

Cándido no dejaba de querer interrogar al anciano y quiso saber cómo le rogaban a Dios.

—No le rogamos de ninguna manera—contestó el anciano—, no tenemos nada que pedirle, pues nos lo ha dado ya todo; lo único que hacemos es agradecerle sin cesar.

Quiso Cándido ver a los sacerdotes y preguntó dónde podía encontrarlos. El buen viejo sonrió:

—Amigos míos, en este país somos todos sacerdotes, el rey y los jefes de familia entonan cánticos de acción de gracias todas las mañanas y les acompañan cinco o seis mil músicos.

—¡Cómo! ¿No tienen ustedes monjes que enseñen la doctrina, que disputen, que gobiernen, que jueguen y que quemen a las gentes que no son de su agrado?

—Estaríamos enloquecidos con un panorama semejante—dijo el viejo—; nosotros compartimos idénticos ideales y no podríamos entender lo que ustedes quieren decir cuando hablan de esos monjes.

Cándido, extasiado ante semejante discurso, se decía a sí mismo: "Sin duda alguna esto es algo completamente diferente a mi país y al palacio del barón. Si Pangloss hubiese conocido Eldorado no habría dicho jamás que el castillo de Thunder-ten-tronck era lo mejor que había en el mundo. Ahora me doy cuenta de lo necesario que es a veces viajar."

Después de tan larga plática, el anciano mandó enganchar un carruaje con seis carneros y prestó doce criados a los viajeros para que los condujeran a la corte.

—Os pido disculpas por no acompañaros, pero ya estoy demasiado viejo para andar de acá para allá. El rey os recibirá en una forma que seguramente os encantará y os pido que disculpéis aquellas costumbres del país que os desagraden.

Cándido y Cacambo subieron al carruaje y como los carneros volaban, en menos de cuatro horas estuvieron delante del palacio real, situado en las afueras de la ciudad.

El pórtico medía doscientos veinte pies de altura por cien de largo; el material con que estaba hecho resultaba difícil de precisar. Naturalmente, había sido realizado con una materia superior al oro y las pedrerías.

Fueron recibidos por veinte doncellas hermosísimas de la guardia palaciega, quienes los condujeron hacia los baños donde los vistieron con trajes hechos de plumas de colibrí. Después de esta ceremonia, los grandes oficiales de la corona los llevaron a los aposentos de su majestad en medio de dos filas de músicos, según las costumbres de la corte. Cuando ya se acercaban a la sala del trono, Cacambo preguntó a un oficial qué había que hacer para saludar a su majestad.

—Nuestra costumbre es abrazar y besar al rey en las dos mejillas—respondió el oficial.

Cándido y Cacambo se echaron en brazos del rey, quien los recibió afabilísimamente y los convidó a cenar con amabilidad.

Mientras llegaba la hora de la cena, les enseñaron la villa, los edificios públicos, que eran altísimos, las plazas, adornadas con mil columnas, las fuentes de agua purísima, las fuentes de agua de rosa, las de licores de caña de azúcar, que corrían continuamente en grandes vasijas hechas con una especie de pedrería que despedía un olor semejante al clavo y la canela. Cándido solicitó que le mostraran el edificio de la audiencia y el tribunal supremo de justicia y le respondieron que no existían y que allí no se pleiteaba nunca. Preguntó si había prisioneros y también le dijeron que no. Pero lo que más le sorprendió y le causó mayor placer fue el palacio de las ciencias, el cual tenía una galería de dos mil pasos repleta de instrumentos de física y matemáticas.

Después de haber recorrido durante la tarde casi toda la ciudad, los condujeron otra vez a palacio. Cándido se sentó a la mesa entre el rey, Cacambo y varias damas de la corte. Jamás se sirvió mejor comida, ni majestad alguna demostró en ella tanta finura. Cacambo traducía todo lo que decía y a pesar de traducidas, todas las palabras de aquel rey parecían agudezas encantadoras. De todo lo visto y admirado, esta cena maravillosa dejó a nuestro héroe más sorprendido todavía.

Había ya transcurrido un mes y Cándido no se cansaba de decirle a Cacambo:

—Debo confesar que el castillo donde nací yo no tiene ni punto de comparación con el que actualmente tenemos por morada. Pero la señorita Cunegunda no está aquí para mi desgracia y vos tendréis seguramente en Europa alguna persona amada. Si nos quedásemos aquí, seríamos como todos los demás; en cambio, si volvemos a nuestro mundo, aunque sea con sólo doce carneros cargados de guijarros de Eldorado, seremos más ricos que varios reyes juntos y con tanta riqueza no tendremos ya por qué temer a la inquisición y podremos rescatar a la señorita Cunegunda.

Estas palabras agradaron sobremanera a Cacambo: resulta tan agradable viajar, darse importancia entre los conocidos y contr lo que se ha visto en los viajes que los dos dichosos resolvieron pedirle permiso a su majestad para ponerse en camino nuevamente.

—Lo que vais a hacer es una tontería—dijo el rey—; yo sé que mi país es muy poca cosa, pero cuando uno se encuentra bien en alguna parte, lo más aconsejable es no moverse. No tengo ningún derecho para deteneros, esa sería una tiranía que no existe en nuestras costumbres, ni en nuestras leyes. Todos los hombres son libres, partid cuando queráis, pero os advierto que la salida es difícil. Resulta imposible remontar la rápida corriente sobre las que llegasteis milagrosamente que se despeña entre simas de roca. Las montañas que nos rodean tienen diez mil pies de altura y están cortadas a pico; no se puede bajar sino por precipicios. Sin embargo, ya que queréis partir, ordenaré a los intendentes de máquinas que hagan una que pueda transportaros cómodamente. Cuando lleguéis al otro lado de las montañas ya no os acompañará nadie, puesto que mis súbditos han jurado no salir jamás de su país y son tan juiciosos que no quebrantarán su voto. Pedidme lo que queráis, estoy a vuestra disposición.

—Sólo quisiéramos—respondieron los dos viajeros—algunos carneros cargados de víveres, piedras y lodo de vuestro país.

El rey se echó a reír y dijo:

—No comprendo qué afán tenéis los europeos por nuestro lodo amarillo, pero recoged, ya que parece ser vuestro gusto, todo el que queráis y que os haga buen provecho.

Mandó en seguida a sus ingenieros que construyeran una máquina para trasladar a los dos hombres extraordinarios fuera del reino, y en ese encargo trabajaron tres mil físicos excelentes. Al cabo de quince días, el artefacto estuvo concluido y no costó más que veinte millones de libras esterlinas, que era la moneda de Eldorado.

Cándido y Cacambo subieron en la máquina, donde ya habían sido colocados dos grandes carneros embridados y ensillados para que les sirvieran de corceles cuando franquearan las montañas, veinte carneros de carga con víveres, treinta que llevaban presentes y regalos, y cincuenta cargados con oro, pedrerías y diamantes. El rey abrazó tiernamente a los dos vagabundos y los despidió.

La partida resultó un espectáculo magnífico, así como la forma en que fueron izados a lo alto de las montañas. Luego que estuvieron seguros, fueron abandonados por los físicos y Cándido no pensaba en otra cosa que en ofrecer sus carneros a la señorita Cunegunda.

—No tenemos por qué preocuparnos—decía—, ya que tenemos de sobra para pagar al gobernador de Buenos Aires, en el supuesto caso de que haya puesto precio a la señorita Cunegunda. Marchemos hacia Cayena, embarquémonos allí y veremos luego de comprar algún reino.

CAPÍTULO XIX

DE LO QUE LES SUCEDIÓ EN SURINAM Y DE CÓMO CÁNDIDO
CONOCIÓ A MARTÍN

LOS dos viajeros gozaron su primer día una jornada bastante agradable. Estaban muy orgullosos de poseer más tesoros que los que encerraban Asia, Europa y Africa juntas, y Cándido, entusiasmado, grababa en los árboles el nombre de su amada Cunegunda, Al segundo día, dos de los carneros perecieron al hundirse con sus cargas en un pantano, otros dos se murieron de cansancio unos días después, siete u ocho perecieron de hambre en un desierto, y otro, al cabo de algunos días de viajar, se desbarrancaron por un precipicio. Llevaban cien días de marcha y no les quedaban más que dos carneros. Cándido le dijo a Cacambo:

—Amigo mío, como podéis ver, las riquezas de este mundo son perecederas. Lo único que creo firme y seguro es la virtud y mi deseo de volver a ver a la señorita Cunegunda.

—Así parece ser—respondió Cacambo—, pero aún conservamos dos carneros cargados con un tesoro mayor que el que tuvo jamás el rey de España. A lo lejos distingo una ciudad, debe ser Surinam, y ésta pertenece a los holandeses. Estamos en el final de todas nuestras penurias y en el principio de nuestra felicidad.

Cuando se acercaban a la ciudad, vieron a un negro tirado en el suelo y vestido con un calzón azul. Al pobre desgraciado le faltaban la pierna izquierda y la mano derecha.

—¡Dios mío!—exclamó Cándiddo—. ¿Qué haces aquí amigo y en ese horrible estado?

—Espero a mi amo, el señor Vanderdendur, que es un famoso comerciante—respondió el moreno.

—¿Ha sido ese señor quien te ha puesto así?

—Sí, señor—respondió el negro—; ésa es la costumbre. Dos veces al año nos dan un calzón de tela por toda vestimenta. Cuando trabajamos en los ingenios y alguna máquina nos coge los dedos, se nos corta una mano; cuando pretendemos huir nos cercenan una pierna, y yo me he encontrado precisamente en esas dos situaciones. En Europa se come el azúcar a este precio; sin embargo, cuando mi madre me vendió por diez escudos patagones en las costas de Guinea, me recomendó lo siguiente: "Hijo mío, adora siempre a nuestros fetiches, bendícelos todos los días y ellos te harán vivir feliz. Vas a tener el honor de ser esclavo de nuestros amos los blancos y con ellos harás la fortuna de tu padre y la mía." La verdad es que no sé si habré hecho la fortuna de mis padres, pero estoy seguro de que ellos no hicieron la mía. Los perros, los monos y los papagayos son mil veces más dichosos que nosotros; los fetiches holandeses me dicen todos los domingos que somos todos hijos de Adán, tanto los blancos como los negros. Yo no soy genealogista, pero si estos predicadores dicen la verdad, todos somos más o menos primos segundos, y creo que estaréis conmigo en afirmar que no se puede tratar en peor forma a unos parientes.

—¡Oh Pangloss!—exclamó Cándido—, tú no me hablaste jamás de semejantes abominaciones, y por lo que veo y he visto son hechos concretos y verídicos. ¿Tendré que renunciar a compartir tu optimismo?

—¿Qué es el optimismo?—preguntó Cacambo.

—No es otra cosa—replicó Cándido—que el empeño en sostener que todo es magnífico cuando todo es pésimo.

Llorando y mirando al negro entraron en Surinam.

Lo primero que hicieron al llegar fue preguntar si había algún barco que pudiese fletarse a Buenos Aires. La persona con quien hablaron era precisamente un patrón español que se ofreció a establecer un trato honrado. Los citó en una taberna y allá se fueron con sus dos carneros Cándido y Cacambo.

El primero, que pecaba de una falta absoluta de reserva, relató fielmente al español todas las aventuras corridas y le confesó que pretendía robar a la señorita Cunegunda.

—Entonces me guardaré muy bien de llevaros a Buenos Aires—dijo el patrón—; nos perderíamos los tres, pues debéis saber que la señorita es la favorita de monseñor.

Esta noticia le cayó a Cándido como un rayo y lloró durante largo rato. Al fin, llamó aparte a Cacambo y le dijo:

—He aquí lo que quiero y es preciso que hagas. En nuestros bolsillos tenemos cada uno más de cinco o seis millones en diamantes; como tú eres más hábil que yo, ve a buscar a la señorita Cunegunda y si el gobernador te presentara alguna dificultad, dale un millón; si no accediese ni con semejante cantidad, dale dos. Como tú no has matado a ningún inquisidor, no desconfiarán de ti. Por mi lado, equiparé un barco y me dirigiré a Venecia, en donde te esperaré. Aquél es un país libre y no hay por qué temer ni a los búlgaros, ni a los abaros, ni a los judíos y menos a los inquisidores.

Cacambo aceptó el plan trazado por su amo. Sentía muchísimo tener que separarse de Cándido, a quien ya consideraba su amigo, pero el placer que le reportaría serle útil mitigó en parte su dolor.

Al despedirse se abrazaron llorando y Cándido le recomendó que no olvidase a la buena vieja; Cacambo partió ese mismo día. Era un buen muchacho.

Cándido permaneció todavía en Surinam durante un tiempo, a la espera de que algún patrón accediera a llevarle hacia Italia con sus dos carneros. Contrató servidumbre y compró todo lo necesario para un largo viaje. Al fin, se le presentó M. Vanderedendur, quien era el dueño de un gran navío. Cándido le preguntó cuanto quería por llevarle directamente hasta Venecia, con sus criados, el equipaje y los dos carneros. El mercader le pidió diez mil piastras y Cándido no regateó.

"¡Hola, hola!—se dijo el avispado Venderedendur—, este extranjero debe ser muy rico para que dé diez mil piastras de golpe." Volvió al poco rato y le pidió a nuestro joven el doble, a lo que éste accedió.

"¡Diantre!—volvió a decirse el patrón holandés—, parece que a este caballero le importan dar lo mismo diez que veinte mil."

Volvió otra vez y manifestó que no podía conducir a nadie hacia Venecia por menos de treinta mil piastras.

—Las tendréis—le respondió Cándido.

"¡Canastos!—repitió el comerciante—, parece que treinta mil piastras no son nada importante para este hombre; sin duda alguna los dos carneros deben llevar portentosos tesoros; no insistamos más, hagámonos abonar lo pedido y más adelante ya se verá."

Cándido vendió dos diamantes, el menor de los cuales valía más que cuanto le había pedido el patrón y pagó adelantado. Los dos carneros fueron embarcados y el joven seguía la operación desde una barca, que le conduciría posteriormente al barco anclado en la rada. El patrón, aprovechando un descuido de Cándido, levó anclas y favorecido por la brisa que hinchaba las velas del navío se hizo a la mar. Sorprendido y estupefacto, Cándido lo perdió rápidamente de vista. "Esto es lo que yo llamaría una picardía digna del antiguo mundo", se dijo, y volvió a tierra con gran dolor por haber perdido la fortuna enorme que no llegarían jamás a poseer ni veinte soberanos.

Fuera de sí, acudió ante un juez holandés y llamando con fuerza a la puerta, entró en el recinto y comenzó a exponer lo ocurrido a grandes voces. El juez le hizo pagar diez mil piastras por el ruido que había hecho, lo escuchó pacientemente y prometió tratar de solucionar el asunto tan pronto volviese el mercader. A cuenta de los gastos del juicio le hizo desembolsar otras diez mil piastras.

Esto acabó por desesperar al pobre Cándido; a pesar de haber pasado por tantas penurias, la frialdad del juez y la del patrón que le había robado, irritaron su bilis y se sumió en una profunda tristeza.

La perfidia de los seres humanos se le presentaba en toda su asquerosidad y esto alimentaba su espíritu con ideas tristísimas. Un barco francés estaba a punto de salir para Burdeos y decidió alquilar una cámara del barco por solo su justo precio. Hizo correr la voz de que pagaría el pasaje, la manutención y entregaría dos mil piastras a cualquier hombre honrado que quisiera acompañarlo, pero con la condición de que fuese el más infeliz y el más desgraciado de la comarca.

Se presentó tal cantidad de pretendientes que una flota no hubiese bastado para llevarlos a todos. Cándido hizo una selección para escoger el más apto y apartó una veintena de personas que le pareciesen sociables. Las citó en su aposento, les dio de comer y les puso como única condición: contar fielmente su historia, prometiendo escoger al más desventurado y más descontento, y que maldijese más su existencia, prometiendo socorrer a los demás con generosidad.

La conversación duró hasta las cuatro de la mañana y Cándido, escuchando tamañas desventuras, se acordaba de lo que le había dicho la vieja camino de Buenos Aires y la apuesta que había hecho acerca de no encontrar una sola persona en el barco a quien no hubiesen sucedido desgracias enormes. Después de escuchar cada historia, pensaba en Pangloss y se decía: "El tal Pangloss se vería en un serio aprieto si pretendiese demostrar aquí sus teorías. Me gustaría tenerlo presente. Se me ocurre que el único lugar en donde todo está bien es Eldorado, y ningún otro del resto del globo." Al final se decidió por un pobre sabio que había estado trabajando durante diez años para los libreros de Amsterdam, porque pensaba que no puede existir en el mundo peor oficio que ése.

Este sabio, que era además muy buen hombre, había sido robado por su mujer, pegado por su hijo y abandonado por su hija, que se había fugado con un portugués. Acababa de ser despedido de un pequeño empleo que le permitía subsistir y los predicadores de Surinam lo perseguían porque lo habían tomado por un hereje sociniano. Los demás pretendientes eran tanto o más desgraciados que él, pero Cándido esperaba que el sabio lo distrajera en el viaje. Los demás creyeron que cometía una gran injusticia al no elegirlos, pero Cándido los aplacó con cien piastras y se quedaron tranquilos.

CAPÍTULO XX

DE LO QUE LES ACONTECIÓ EN ALTA MAR
A CÁNDIDO Y MARTÍN

EL sabio anciano, que se llamaba Martín, se embarcó por fin para Burdeos con Cándido. Ambos habían sufrido ya mucho, y así el barco hubiera tenido que hacer el viaje desde Surinam a Japón por el cabo de Buena Esperanza, no les hubiera faltado tema de conversación durante todo el trayecto. Sin embargo, Cándido tenía una gran ventaja sobre Martín y era su esperanza en volver a ver a la señorita Cunegunda. Martín no tenía nada que esperar. Además, nuestro joven poseía oro y diamantes, y a pesar de haber perdido los carneros cargados de tesoros, y aunque no podía olvidarse de la bribonada del patrón holandés, cuando pensaba en lo que aún le quedaba en los bolsillos y cuando hablaba de Cunegunda en las sobremesas, acababa por inclinarse al sistema de Pangloss.

—Y vos, señor Martín—preguntó Cándido—, ¿qué pensáis de todo esto? ¿Cuál es vuestra opinión sobre el mal moral y el mal físico?

—Señor—respondió el sabio—, los curas me han acusado de ser sociniano, pero la verdad es que yo soy maniqueo.

—Os burláis de mí—exclamó Cándido—; ya no existen los maniqueos.

—Sí, existe uno y ése soy yo. ¿Qué le voy a hacer si no puedo pensar en otra forma?

—Debéis de tener el diablo en el cuerpo—dijo Cándido.

—Se mezcla tanto en las cosas de este mundo, que no sería raro el que también se hubiera metido en mi cuerpo—respondió Martín—; os confieso que echando solamente una mirada sobre este globo, o, mejor dicho, sobre este glóbulo, creo que está dejado de la mano de Dios; exceptuando siempre Eldorado. No he visitado ciudad que no desee la ruina de su vecina, o familia que no quiera exterminar a otra familia. En todas partes los débiles odian a los poderosos y se arrastran a sus pies; los poderosos los tratan como a rebaños cuya lana y cuya carne venden. Debe de haber aproximadamente un millón de asesinos regimentados, que corretean de un extremo a otro de Europa, ejerciendo el robo y el asesinato muy ordenadamente, para ganarse el pan, puesto que no existe profesión más honrada. Y en las villas donde la paz y las artes florecen, a los hombres los carcome más la envidia, los cuidados y las inquietudes, que calamidades sufre una ciudad sitiada. Las penas secretas son más crueles que las miserias del dominio público, y yo he visto tanto y he sufrido de tal manera que soy maniqueo de todo corazón.

—Pero, a pesar de todo—replicó Cándido—, el bien existe.

—No lo dudo—dijo Martín—, pero no le conozco.

Mientras discutían se oyó un cañonazo. Las descargas iban en aumento y cada cual se apresuró a tomar su anteojo. Divisábanse dos barcos, que a una distancia de tres millas combatían encarnizadamente. El viento los había acercado tanto al barco francés, que los tripulantes y pasajeros del mismo pudieron observar cómodamente la batalla. Al fin, un barco echó a pique al otro, y Cándido y Martín vieron claramente sobre la cubierta a más de un centenar de hombres que levantaban sus manos hacia el cielo y gritaban horriblemente... Luego, todo desapareció en un instante.

—Bien—dijo Martín—, así es cómo los hombres se tratan unos a otros.

—Es muy cierto—dijo Cándido—que en este caso hay algo de diabólico.

De pronto, percibió una cosa de un rojo brillante que nadaba cerca del barco. Enviaron una chalupa para reconocerlo y resultó ser uno de los carneros perdidos. Cándido se alegró muchísimo al recuperarlo y el capitán francés supo así que el capitán del buque triunfante era español y el del buque sumergido un pirata holandés; el mismo que había robado a Cándido. Las riquezas que el bribón le había birlado desaparecieron con él en el fondo del mar y no pudo salvarse sino un carnero.

—Ya veis—dijo Cándido a Martín—cómo a veces el crimen es castigado con justicia. Este pícaro holandés ha recibido lo que merecía.

—Sí—dijo éste—, ¿pero era necesario que muriesen todos los demás pasajeros que viajaban en el barco? Dios castigó al bribón, pero el diablo se encargó de los demás.

Mientras tanto, los dos barcos siguieron su ruta y Cándido continuó charlando con Martín. Discutieron durante quince días seguidos y al cabo de los mismos no habían logrado adelantar nada en sus dudas. Lo único bueno que consiguieron fue comunicar sus ideas al hablarse y esto los consolaba. Al acariciar a su carnero, Cándido se preguntaba: "Puesto que lo he recuperado, ¿por qué no he de recobrar a Cunegunda?"

CAPÍTULO XXI

CÁNDIDO Y MARTÍN SE APROXIMAN A LAS COSTAS DE FRANCIA Y SIGUEN DIALOGANDO

LAS costas de Francia aparecieron al fin y Cándido preguntó al sabio:

—¿Habéis estado alguna vez en Francia, señor Martín?

—Sí—dijo—, conozco y he recorrido la mayoría de sus provincias. En algunas, la mitad de sus habitantes son unos locos; en otras se engaña a todo el mundo; las hay en donde son bastante tranquilos y bastante bestias; otras son demasiado espirituales, y en todas, la principal ocupación es el amor; la segunda, murmurar, y la tercera, decir tonterías.

—Pero ¿habéis visto París?

—Sí, lo he visto y allí es donde se encuentra y se reúne todo lo peor. Es un caos, una gran confusión, en donde todo el mundo no hace otra cosa que buscar el placer y donde casi nadie lo encuentra: eso es lo que me pareció. Al llegar, unos rateros me robaron cuanto tenía en la feria de Saint-Germain; me tomaron por ladrón y estuve ocho días en la cárcel, después de lo cual tuve que trabajar como corrector en una imprenta para ganar con qué volver a pie a Holanda.

Conocí a la canalla intelectual, a la cabalística y a la convulsionaria. Algunos dicen que la gente en esa villa es muy inteligente. Quisiera creerlo.

—Por mi parte, no tengo curiosidad por ver Francia —dijo Cándido—; comprenderéis que después de haber pasado un mes en el país de Eldorado, lo único que me apetece ver es a la señorita Cunegunda. La esperaré en Venecia, y para ir allá atravesaremos Francia. ¿Vendréis conmigo?

—Con mucho gusto—dijo Martín—; dicen que Venecia es sólo buena para los nobles venecianos, pero que a pesar de eso reciben muy bien a los extranjeros cuando son ricos. Como yo no tengo nada y vos tenéis de todo, os seguiré a todas partes.

—A propósito—dijo Cándido—, ¿creéis que la tierra haya sido en su origen un mar, como asegura ese mamotreto que pertenece al capitán del buque?

—Nada creo—respondió Martín—, y menos aún en esos sueños escritos que nos venden de un tiempo a esta parte.

—Pero ¿con qué fin se creó el mundo?—preguntó Cándido.

—Para hacernos rabiar—respondió Martín.

—Pero ¿acaso no estabais asombrado ante el extraño amor de aquellas dos muchachas del país de los orejones por dos monos y cuya aventura os he contado? —inquirió Cándido.

—Nada de eso—respondió Martín—; esa pasión no me extraña en lo más nimio; yo he visto y he vivido cosas más extraordinarias aún y ya no me asombro ante cosas de este tipo.

—¿Vos creéis—dijo Cándido—que los hombres se han liquidado siempre como lo hacen ahora, que hayan sido siempre mentirosos, bellacos, pérfidos, ingratos, bandidos, débiles, veleidosos, ruines, envidiosos, glotones, borrachos, avaros, ambiciosos, sanguinarios, calumniadores, disolutos, fanáticos, hipócritas y tontos?

—Con seguridad—respondió Martín—, ¿vos creéis que los gavilanes se han comido siempre a las palomas?

—Naturalmente—respondió Cándido.

—Bueno—dijo Martín—, si los gavilanes han tenido siempre el mismo carácter, ¿cómo queréis que los hombres hayan reformado el suyo?

—¡Pero es muy diferente!—replicó Cándido—, porque el libre albendrío...

Y razonando de ese modo llegaron a Burdeos.

CAPÍTULO XXII

DE LO QUE LES ACONTECIÓ EN FRANCIA
A CÁNDIDO Y A MARTÍN

CÁNDIDO estuvo sólo en Burdeos el tiempo necesario para vender algunos pedruscos y comprar un buen carruaje de dos asientos, porque ya no podía pasarse sin su buen filósofo Martín. Lamentó tener que separarse de su último carnero y lo regaló a la Academia de Ciencias de Burdeos, la cual propuso como tema para el premio de aquel año demostrar por qué la lana de ese carnero era roja. El premio se lo llevó un sabio del norte, quien demostró por A, más B, menos C, dividido por Z, que el carnero era rojo porque sí y que moriría de moquillo.

A todo esto, cada pasajero con quien Cándido se topaba en las posadas del camino, repetía: "Nosotros vamos a París." Este latiguillo general despertó en él un vivo deseo de conocer la capital francesa, no muy separada del camino a Venecia. Entró por el arrabal de Saint-Marceau y creyó encontrarse en la más mísera aldea de Westfalia.

Apenas habían encontrado un hospedaje, cuando se sintió atacado por una ligera enfermedad causada por las fatigas de los viajes realizados. Como llevaba en el dedo un diamante enorme y se habían dado cuenta de que una cajita que acompañaba a su equipaje pesaba en demasía, tuvo a su lado de inmediato : dos médicos que no había solicitado, algunos amigos íntimos que no se separaban de él y dos beatas que calentaban los caldos. Martín decía :

—Me acuerdo que cuando yo estuve en París también caí enfermo, pero como era más pobre que una rata, no tuve a mi lado ni amigos, ni médicos, ni beatas, y, sin embargo, recobré la salud.

A fuerza de tanto mejunje y sanguijuela, Cándido se agravó. Un sacristán vino a solicitarle un billete pagadero al portador en el otro mundo, Cándido no quiso saber nada del asunto y las beatas le aseguraron que era una moda nueva. El joven respondió que él era un anticuado, mientras que Martín quiso tirar por la ventana al sacristán. El clérigo juró que no enterrarían a Cándido, y Martín le juró, a su vez, que a quien iban a enterrar si continuaba importunando era a él. La pelea se encrespó, Martín lo cogió por los hombros y lo echó a empellones, causando por ello un gran revuelo y originando por su conducta un proceso.

Cándido se curó y en su convalecencia tuvo abundante compañía, principalmente en la mesa de juego, en donde todo el mundo apostaba muy fuertemente. El joven estaba admirado porque no conseguía jamás ningún as, pero Martín no se sorprendía lo más mínimo.

Entre los concurrentes se destacaba un abate perigordiano, una de esas personas diligentes, atentas y serviciales, descarado, cariñoso, acomodaticio, de los que acechan a los extranjeros, les cuentan la historia escandalosa de la villa y les ofrecen todo tipo de diversiones. Llevó a Cándido y Martín al teatro, en donde se representaba una tragedia nueva. Cándido se halló situado entre algunos hombres de ingenio, lo que no impidió que llorase en algunas escenas ejecutadas a la perfección. Uno de los razonadores le dijo en un entreacto:

—Hacéis mal en llorar, esta actriz es muy mala; el actor que la acompaña es más malo aún; la pieza es peor que todos los actores juntos; porque el autor no tiene ni idea de lo árabe y, sin embargo, sitúa la acción en Arabia. Además, es un hombre que no cree en las ideas innatas; mañana os traeré veinte artículos que se han escrito contra él.

—¿Cuántas obras teatrales tenéis en Francia?—preguntó Cándido al abate.

—Cinco o seis mil aproximadamente—respondió el cura.

—Muchas son—replicó Cándido—; ¿cuántas hay realmente buenas?

—Quince o dieciséis—replicó el otro.

—Muchas son—dijo Martín.

Cándido quedó encantado con una actriz que hacía de reina Isabel en una notable tragedia que se representaba algunas veces.

—Esta actriz—dijo a Martín—me gusta mucho porque se parece un poco a la señorita Cunegunda. Me agradaría saludarla.

El abate se prestó gustoso a presentársela, y Cándido, criado en Alemania, quiso conocer la etiqueta y el trato que se les daba en Francia a las reinas de Inglaterra.

—En París—dijo el cura—se las respeta cuando son bellas, y cuando mueren se las arroja a un muladar.

—¡Las reinas en un muladar!—exclamó Cándido.

—Naturalmente—dijo Martín—, el señor abate tiene razón. Yo estaba en París cuando la señorita Monime pasó, como vulgarmente se dice, de esta vida a la otra y se le rehusó lo que las gentes llaman "los honores de la sepultura", vale decir, pudrirse entre los desdichados del distrito en un asqueroso cementerio, y se fue sola hasta el final de la calle Borgoña, debiéndolo sentir en extremo porque era muy noble. Algo muy contradictorio—continuó—, pero estas gentes son así. Hay que contar siempre con una gran cantidad de contradicciones, con todas las incompatibilidades posibles, pues son las que se ven casi siempre en el gobierno, en los tribunales, en las iglesias y en los espectáculos de este pícaro país.

—¿Es verdad que en París se ríe siempre?—preguntó Cándido.

—Sí—dijo el abate—, pero rabiando al mismo tiempo, porque aquí se maldice todo entre risas y carcajadas, así como también se llevan a cabo y siempre riendo los actos más repugnantes.

—¿Quién es—inquirió Cándido—aquel insolente que hablaba tan desastrosamente de la pieza que me hizo emocionar hasta las lágrimas y de los actores que tanto me agradaron?

—Es un buscavidas—le respondió el abate—que se gana la suya hablando mal de todas las comedias y de todos los libros y odia todo lo que triunfa como los eunucos detestan los placeres. Es uno de esos reptiles que se alimentan de fango y de veneno; un escritorzuelo.

—¿Qué queréis decir con eso de escritorzuelo?—preguntó Cándido.

—Quiero decir un Frerón—contestó el abate—, un escritor de papeluchos.

Así era como charlaban Cándido, Martín y el abate sobre la escalera, viendo salir a la gente del teatro.

—Aunque estoy impaciente por encontrarme con mi amada—dijo Cándido—, me gustaría, sin embargo, cenar con la señorita Clairon, que me ha parecido encantadora.

El abate no podía acercarse a la señorita Clairon porque ésta sólo recibía a la alta sociedad.

—Esta noche está ocupada—dijo—, pero tendré el el honor de conduciros a la casa de una señora muy culta y con ella conoceréis París tan bien como si hubierais vivido en él todo un quinquenio.

Cándido, que era muy curioso, se dejó conducir a casa de esa señora que vivía en el arrabal de Saint-Honoré. Cuando llegaron estaban jugando al faraón y sólo tenían cada uno doce tristes puntos en la mano, una pequeña baraja, señalado registro de sus infortunios. En la sala reinaba un silencio total y podían verse todos los rostros de los jugadores palidísimos. El banquero estaba sumamente inquieto y la señora de la casa, sentada cerca de él, observaba con ojos de lince todas las trampas y fullerías que los jugadores intentaban, haciéndoles barajar las cartas, cada vez que los sorprendía con escasa severidad y no importándole mucho que sus paroquianos perdiesen hasta el último centavo. Esta señora se hacía llamar la marquesa de Parolignac, y su hija, de quince años, integraba también el grupo de jugadores y advertía con guiños las bribonadas que esas pobres gentes trataban de hacer, para esquivar de esa manera las crueldades de la suerte. El abate, Cándido y Martín entraron en la pieza y nadie los saludó, ni se levantó, ni los miró. Estaban demasiado absortos en sus cartas como para distraerse.

—La señora baronesa de Thunder-ten-tronck—dijo Cándido—tenía más urbanidad.

El abate se acercó a la marquesa y le susurró algunas

palabras en el oído. Se levantó, honró a Cándido con una graciosa sonrisa, a Martín con un movimiento de cabeza muy delicado, entregando al primero un juego de cartas, haciéndole perder en sólo dos tallas cincuenta mil francos. Después se cenó alegremente y todo el mundo no dejaba de admirarse ante la indiferencia de Cándido por la pérdida de su dinero. Los lacayos comentaban: "Debe ser un americano que habrá descubierto alguna mina."

La cena fue muy semejante a todas las que se celebraban en París. Al comienzo se hizo silencio, luego hubo ruido de palabras confusas, después chistes por lo general insípidos, noticias falsas, raciocinios más falsos aún, un poco de política y mucho de murmuración. Se habló también, y de acuerdo a las costumbres, de los libros nuevos.

—¿Han leído ustedes la novela del doctor en teología señor Gauchat?—preguntó el abate.

—Sí—respondió uno de los invitados—, pero no he logrado terminarlo. Entre todos los escritores impertinentes que pululan por doquier, Gauchat reúne por sí solo la mayor cantidad de impertinencias. Estoy tan cansado de esa cantidad impresionante de libros detestables que nos inunda, que he decidido jugar sólo al faraón.

—¿Y qué os parece *La miscelánea* del arcediano Trublet?—dijo el abate.

—¡Qué hombre tan mortalmente aburrido!—exclamó la marquesa—; sólo dice en un tono doctoral cosas que todo el mundo sabe. ¡Qué pesadamente discurre sobre cosas que ni vale la pena mencionar! ¡Cómo se apropia sin talento del de los demás! ¡Cómo deslustra todo lo que toca! ¡Cómo me harta! Afortunadamente no me disgustará más porque no pienso leer ni uno más de sus libracos.

Sentábase a la mesa un hombre sabio y de muy buen gusto que apoyaba lo que decía la marquesa. Se habló de tragedias y la señora preguntó cómo era posible que algunas tragedias que se representaban con éxito no se pudieran leer. El hombre de gusto explicó cómo una pieza podía ser muy mala y tener éxito. Probó en pocas palabras que no bastaba incluir situaciones que se encuentran en las novelas y que siempre seducen a los espectadores, sino que hace falta ser original sin caer en la extravagancia, a menudo sublime y siempre natural; conocer el corazón humano y hacerle hablar; ser gran poeta sin que jamás personaje alguno de la pieza parezca poeta; saber perfectamente la lengua y hablarla con pureza, con armonía, sin que jamás el ritmo altere el sentido. Aquel que no observe todas estas reglas, concluyó, podrá llegar a realizar una o dos tragedias aplaudidas en el teatro, pero nunca podrá contarse entre el número de escritores notables. Son pocas las tragedias que merecen la pena: unas son idilios en diálogos bien escritos y mejor rimados; otras, razonamientos políticos que adormecen; algunas son sueños de energúmenos en bárbaro estilo, razonamientos interrumpidos, largos apóstrofes a los dioses porque no se sabe hablar a los hombres: máximas falsas y tópicos ampulosos.

Cándido escuchó atentamente y se formó muy buen concepto del orador. Como la marquesa lo había situado a su lado, se aproximó a su oído y le preguntó quién era aquel hombre que hablaba tan bien.

—Es un sabio—le contestó la dama—que el abate me trae algunas veces a cenar. Sabe mucho de tragedias y libros y ha escrito una que fue silbada, y un libro, del cual sólo se ha vendido un ejemplar, que me ha dedicado.

—Qué gran hombre—dijo Cándido—; debe de ser otro Pangloss—y volviéndose hacia él, le dijo—: Caballero, ¿sin duda pensaréis también que todo es perfecto en el mundo físico y en el moral, y que nada puede ser de otro modo?

—Yo—respondió el sabio—no pienso nada de eso y encuentro que todo está torcido entre los hombres, que nadie conoce sus derechos, ni sus deberes, ni lo que se pesca; y que a excepción de esta cena, que es bastante alegre y en donde reina la concordia, el resto del tiempo se gasta sólo en querellas impertinentes; jansenistas contra monistas, parlamentarios contra eclesiásticos, letrados contra letrados, cortesanos contra cortesanos, hacendistas contra el pueblo, mujeres contra maridos, parientes contra parientes: es una guerra continua.

Cándido replicó:

—Yo he visto cosas peores; pero un sabio que fue colgado me enseñó que todo está hecho a la perfección y que todo eso que vos me decís son las sombras de un hermoso cuadro.

—Vuestro ahorcado se reía de las gentes—dijo Martín—; vuestras sombras son manchas horribles.

—Los hombres son los que manchan todo y no pueden evitarlo—dijo Cándido.

—Luego, no es culpa suya—dijo Martín.

Los demás personajes, que no entendían una palabra de la conversación, bebían. Martín conversaba con el sabio y Cándido contó parte de sus aventuras a la marquesa.

Después de los postres, ésta condujo a Cándido a su gabinete y le hizo sentar en un diván.

—¡Qué!—le dijo—, ¿continuáis amando perdidamente a la señorita de Thunder-ten-tronck?

—Sí, señora—respondió Cándido.

La marquesa le replicó con una sonrisa cariñosa:

—Me respondéis como sólo un joven recién venido de Westfalia puede hacerlo; un francés me hubiera dicho: "Es verdad que la amo, pero viéndoos, dudo si seguiré amándola."

—¡Ay, señora—dijo Cándido—, haré lo que queráis!

—Vuestra pasión por ella—dijo la marquesa—comenzó al recoger su pañuelo; yo quiero que recojáis mi liga.

—¡Con todo mi corazón!—exclamó Cándido, y la recogió.

—También quiero que me la pongáis.

Cándido se la puso.

—Os considero porque sois un extranjero; yo hago suspirar a mis amantes franceses hasta quince días; pero me entrego a vos en la primera noche, porque es preciso obsequiar a un mancebo de Westfalia.

La cortesana, al ver dos enormes diamantes en los dedos del joven, los alabó tanto que de las manos de Cándido pasaron a las de la honesta aristócrata.

Cuando volvió Cándido al lado del abate sintió remordimientos por haberle sido infiel a Cunegunda. El abate lo acompañó en su pena porque llevaba una pequeña participación en los cincuenta mil francos perdidos por Cándido en el juego y en el valor de los dos brillantes medio regalados y medio escamoteados. Su intención era aprovecharse cuanto pudiese de las ventajas que el haber conocido a Cándido podía proporcionarle. Le habló mucho de Cunegunda, y Cándido le dijo que le pediría perdón por su infidelidad tan pronto la viese en Venecia.

El abate redoblaba sus cumplidos y sus atenciones, tomando un tierno interés en todo lo que Cándido decía, hacía o quería hacer.

—¿Así que tenéis una cita en Venecia?—le preguntó.

—Sí, señor abate—contestó Cándido—; allí es donde me encontraré sin falta con la señorita Cunegunda.

Animado por el placer que siempre le reportaba hablar de la que amaba, contó sus aventuras al abate, como era su costumbre.

—Creo—dijo el abate—que esa señorita debe tener un gran talento y escribirá cartas admirables.

—Nunca las he recibido—dijo Cándido—, porque fui echado del castillo a causa de su amor, y no le pude escribir. Poco después me enteré que había muerto, más tarde la encontré y la volví a encontrar tiempo después. Le he enviado un emisario a dos mil quinientas leguas de aquí, cuya respuesta aguardo.

El abate le oía con atención y parecía reflexionar. Pidió permiso a los dos extranjeros y se fue después de abrazarlos afectuosamente. Al día siguiente, Cándido recibió una carta que decía:

"Querido señor y más querido amante: hace ocho días que me encuentro enferma en esta ciudad; he sabido que vosotros estáis aquí y volaría a vuestros brazos si pudiera moverme. Supe de vuestra llegada a Burdeos y dejé a Cacambo y a nuestra buena vieja, quienes se me reunirán en seguida. El gobernador de Buenos Aires se adueñó de todo, pero me queda vuestro corazón. Venid a mí: vuestra presencia me dará de nuevo la vida o me hará morir de felicidad."

Esta carta encantadora, inesperada, transportó a Cándido, produciéndole una alegría inexplicable. La enfermedad de su amada lo llenó de pena, y luchando entre dos sentimientos tan diferentes, tomó su oro y sus diamantes y se hizo conducir con Martín al hotel donde estaba Cunegunda. Entró temblando de emoción, con el corazón palpitante y sollozando; quiso apartar en seguida las cortinas de la cama, dar luz a la habitación, pero lo detuvieron:

—No lo hagáis—le dijo la sirvienta—, la luz la mataría—y cerró de golpe los visillos.

—Mi querida Cunegunda—exclamó Cándido llorando—, ¿cómo os encontráis? Ya que no me podéis ver, habladme al menos.

—No puede hablar—dijo la sirvienta, y sacó del lecho una mano regordeta, que Cándido regó con sus lágrimas y que cubrió con diamantes, dejando también sobre el sillón un saco de oro.

En medio de esos arrebatos se presentó el jefe de policía, seguido del abate y de una patrulla.

—¡Conque son éstos los extranjeros sospechosos! —y sin agregar más los hizo prender y conducir a prisión.

—En Eldorado no trataban así a los extranjeros—dijo Cándido.

—Yo cada vez soy más maniqueo—agregó Martín.

—Pero, señor, ¿adónde nos conducís?—preguntó Cándido.

—Al fondo de un profundo calabozo—dijo el esbirro.

Martín, una vez recobrada su sangre fría, se dio cuenta que la pretendida Cunegunda era una bribona, el señor abate un delincuente que había abusado vergonzosamente del inocente Cándido y el jefe de policía otro canalla, de quien sería fácil desembarazarse.

Antes que exponerse a los procedimientos judiciales, Cándido, instruido por Martín y deseoso más que nunca de ver a la señorita Cunegunda, chantajeó al polizonte con tres pequeños diamantes que valían cada uno tres mil pistolas juntas.

—¡Ah, señor!—le dijo el hombre—, aunque hubieseis cometido los más horrendos crímenes seríais el más honesto de los mortales... ¡Tres diamantes del valor de tres mil pistolas!... Antes de meteros en un calabozo me haría matar por vos. Detenemos a todos los extranjeros, es una costumbre; pero tengo un hermano en Normandía, ante quien os haré conducir, y él os tratará como si fuera yo mismo.

—¿Y por qué detenéis a los extranjeros?—preguntó Cándido.

El abate tomó la palabra y dijo:

—Eso se hace porque un miserable del país de Atrebatia ha oído decir sandeces y eso bastó para hacerle cometer un parricidio, aunque ni parecido al del mes de mayo de 1610, pero sí como el de diciembre de 1594 y semejante a otros muchos cometidos en otros años y en otros meses por otros miserables que escucharon decir sandeces.

El polizonte les explicó de lo que se trataba y Cándido no pudo más y gritó:

—¡Monstruos! ¿Cómo pueden cometerse tales horrores dentro de un pueblo que ríe y canta? ¿Podremos salir de este país en donde los monos provocan a los tigres? En el mío he visto casos; ha sido sólo en Eldorado donde pude tratar verdaderos hombres. En nombre de Dios, señor policía, llevadme a Venecia, donde debo encontrarme con la señorita Cunegunda.

—Sólo os puedo llevar hasta la baja Normandía—dijo el polizonte.

De inmediato, le hizo soltar diciendo que se había equivocado, despidió a su gente y condujo a Dieppe a Cándido y Martín, dejándolos en poder de su hermano.

En la rada de ese puerto había un barco holandés, y el normando, que, merced a otros tres diamantes, se había convertido en el hombre más servicial de la tierra, embarcó a Cándido y a sus acompañantes en el barco que iba a hacerse a la vela hacia Portsmouth, en Inglaterra. A pesar de que éste no era el camino hacia Venecia, Cándido se embarcó, pues creyó verse así libre del encierro y contando con tomar la ruta de Venecia en la ocasión más favorable.

CAPÍTULO XXIII

LO QUE VIERON CÁNDIDO Y MARTÍN AL LLEGAR
A LAS COSTAS DE INGLATERRA

—¡OH Pangloss! ¡Oh Martín! ¡Oh mi amadísima Cunegunda! ¿Qué mundo es éste?—exclamaba Cándido en el barco holandés.

—Una cosa loca y bien abominable—respondía Martín.

—¿Conocéis Inglaterra? ¿Son tan locos como en Francia?

—Es otra clase de locura. Ya sabéis que estas dos naciones—dijo Martín—están en guerra por unas cuantas millas de tierra nevada del Canadá y que gastan por esta bella disputa mucho más que lo que vale el Canadá entero. Deciros precisamente si hay una mayor cantidad de orates en un país que en otro, es algo superior a mis escasas luces; lo único que sí sé es que las gentes que vamos a conocer son bien particulares.

Charlando de esta manera llegaron a Portsmouth. Una multitud de gente llenaba la orilla y observaba a un hombre muy gordo que, de rodillas y con los ojos vendados, estaba sobre la cubierta de uno de los navíos de la flota. Cuatro soldados, colocados frente a frente, le metieron cada uno tres balas en el cráneo como si tal cosa y toda la asamblea se disolvió muy satisfecha.

—¿Qué significa todo esto—dijo Cándido—y cuál es el demonio que gobierna toda la tierra?

Preguntó quién era el hombre que acababan de matar en la extraña ceremonia, y esto fue lo que le contestaron:

—Es un almirante, y lo hemos fusilado porque no liquidó la gente que debía liquidar. Libró un combate contra un almirante francés y se ha descubierto que no se le acercó lo suficiente.

—Pero—dijo Cándido—el almirante francés estaba en idéntica situación al vuestro.

—Eso es indiscutible—le contestaron—, pero en este país conviene matar de vez en cuando algún almirante para dar ánimos a los demás.

Cándido quedó tan aturdido y le chocó tanto lo que veía y oía, que no quiso saber nada de bajar a tierra y trató nuevamente con el patrón holandés (capaz de robarle como el de Surinam), consiguiendo que los llevase sin demora a Venecia.

Al cabo de dos días estuvo todo listo. Costearon por Francia, pasaron por Lisboa y ante su vista Cándido no pudo evitar estremecerse. Entraron en el estrecho y en el Mediterráneo, llegando por fin a Venecia.

—¡Dios sea loado!—exclamó Cándido, abrazando a Martín—; aquí volveré a ver a la bella Cunegunda. Cuento con Cacambo como si de mí se tratase y todo está bien, todo va bien, todo es perfecto en el mejor de los mundos posibles.

CAPÍTULO XXIV

PAQUITA Y FRAY ALELÍ

E<small>N</small> cuanto llegó a Venecia, Cándido buscó por todas partes, por todas las posadas, a Cacambo; preguntó por él en todos los cafés y en los prostíbulos, sin lograr encontrarlo. Todos los días enviaba alguien al encuentro de los barcos que llegaban, pero nadie daba razón de Cacambo.

—¿Cómo es posible—decía a Martín—que yo haya tenido tiempo para ir de Surinam a Burdeos, de Burdeos a París, de París a Dieppe, de Dieppe a Portsmouth; de costear Portugal y España, de atravesar todo el Mediterráneo, de parar algunos meses en Venecia y, sin embargo, me encuentro con que la bella Cunegunda no ha llegado todavía? Sólo encontré en su lugar a una bribona y a un abate perigordiano. No cabe ya duda, Cunegunda ha muerto y a mí sólo me resta morir. ¡Ah!, más me hubiese valido quedarme en Eldorado y no volver a esta maldita Europa. ¡Qué razón tenéis, mi querido Martín, todo es una ilusión y una calamidad!

Cayó en una negra melancolía y se negó a tomar parte alguna en la ópera *alla moda* ni en las otras diversiones del carnaval; ninguna dama fue capaz de producirle sensaciones y Martín le dijo:

—Sois bien inocente al figuraros que un criado con cinco o seis millones en el bolsillo iría a buscar a vuestra amada al fin del mundo y os la traería a Venecia. Si la ha encontrado, la habrá tomado para sí, y si no la halló, habrá tomado otra. Mi único consejo es que os olvidéis de vuestro criado y de vuestra amada Cunegunda.

Las palabras de Martín no eran como para consolar a nadie y sólo lograron aumentar la melancolía de Cándido. Por su parte, Martín no cesaba de probarle que la virtud no existía y menos aún la dicha, siempre con la excepción de Eldorado, adonde, por otra parte, no se podía ir, lo cual no dejaba de ser una gran dificultad.

Mientras discutían esta importante materia y esperaban a Cunegunda, Cándido vio a un joven teatino, en la plaza de San Marcos, que iba del brazo de una joven. El teatino parecía fresco, grueso, vigoroso. Sus ojos brillaban, su ademán era altivo, su cabeza erguida y su andar muy apuesto. La joven era muy bella y cantaba; miraba con amor a su teatino y de vez en cuando le pellizcaba la barbilla.

—Por lo menos—dijo Cándido a Martín—estaréis conmigo en que esta pareja es dichosa. Yo no he encontrado gente feliz, excepto en Eldorado. Sin embargo, juraría que estos dos son muy felices.

—Yo juraría que no—dijo Martín.

—Invitémoslos a comer y veremos quién tiene razón —respondió Cándido.

Se acercó a ellos y cordialmente los convidó a almorzar en su posada. El menú consistiría en macarrones, perdices de Lombardía y caviar; las bebidas serían vinos de Montepulciano, Lacryma-Christi, de Chipre y de Samos. La dama se sonrojó, el teatino lo siguió y la joven lo acompañó, mirando a Cándido con sorpresa y confusión, llenándosele por momentos los ojos de lágrimas. Apenas entró en la pieza del joven, le preguntó:

—¡Cómo! ¿No reconocéis aún a Paquita?

Ante estas palabras, Cándido, que no le había prestado atención, pues sólo pensaba en Cunegunda, le dijo:

—¡Cómo! ¿Sois vos la que puso al doctor Pangloss en el horrible estado en que lo encontré?

—La misma, señor—dijo Paquita—; veo que estáis enterado de todo. Yo también supe de las desgracias espantosas que cayeron sobre la casa de los barones y de la bella Cunegunda. Os puedo asegurar que mi destino no fue menos triste. Cuando me conocisteis yo era una inocente. Un franciscano, que era mi confesor, me sedujo fácilmente y lo que siguió a eso fue espantoso. Fui obligada a dejar el castillo del barón poco después que os echaran a puntapiés, y si un famoso médico no hubiera cuidado de mí, me hubiese muerto sin remedio. Por agradecimiento fui su amante durante algún tiempo, y su mujer, que era celosísima, me pegaba a diario y despiadadamente: era una verdadera furia. Este médico era el más feo entre los feos y yo la criatura más desgraciada de la tierra al verme golpeada todos los días por un hombre a quien no amaba. Vos sabéis, señor, lo peligroso que puede ser para una mujer odiosa ser la esposa de un médico. Éste, harto de la conducta de la arpía, le dio un día, para curarla de un resfrío, una medicina tan eficaz, que la mujer murió a las dos horas en medio de convulsiones atroces. Los parientes le hicieron juicio por acción criminal y mi médico huyó. A mí me metieron presa y sólo me salvó el ser algo bonita, porque el juez me soltó con la condición de ser él quien sucediera al médico. Al poco tiempo fui desplazada por una rival, echada sin ningún tipo de gratificación y obligada a ejercer esta ocupación que a los hombres os parece tan encantadora y que para nosotras sólo representa un abismo de miserias. Me marché a trabajar a Venecia, y no podréis nunca imaginaros lo que es verse obligada a acariciar con indiferencia a un viejo mercader, a un abogado, a un monje, un gondolero o un abate; el estar expuesta a toda clase de insultos; el verse muchas veces reducida a pedir prestada una falda, para hacérsela luego levantar por un asqueroso; el ser robada por uno, de lo que ha ganado con otro; el ser escarnecida por los empleados de justicia y no tener como futuro nada más que una vejez espantosa, un hospital o un estercolero. Por todo esto, bien os daréis cuenta de que soy una de las criaturas más infelices que hay sobre esta tierra.

Paquita abrió su corazón a Cándido delante de Martín, que le dijo:

—Ya veis que tengo ganada la mitad de la apuesta.

El padre Alelí se había quedado en el comedor bebiendo una copita y esperando la hora de comer.

—Sin embargo—dijo Cándido—, cuando os vi tan contenta, cantando, con un semblante tan alegre, acariciando al teatino con tanta complacencia, me parecisteis tan feliz como infortunada pretendéis ser.

—¡Ah, señor!—contestó Paquita—, ése es otro gaje del oficio. Ayer, un oficial me pegó y me robó; a pesar de eso es preciso estar alegre para agradar a un fraile.

Cándido no quiso escuchar más y confesó que Martín estaba en lo cierto. Sentáronse a la mesa con Paquita y el teatino. La comida fue muy divertida y a los postres ya se hablaba con mucha confianza.

—*Pater noster*—dijo Cándido al fraile—, parece que gozáis de un destino que cualquiera envidiaría; tenéis una cara saludable; vuestra fisonomía parece el colmo

de la dicha; disponéis de una guapa muchacha y pare-
céis muy contento de ser teatino.

—Palabra de fraile—dijo Alelí—que mi mayor deseo
sería ver a todos los teatinos en el fondo del mar. Cien
veces he estado tentado de pegarle fuego al convento
y de hacerme turco. A la edad de quince años mis padres me obligaron a colgarme este traje que detesto
para dejarle toda la fortuna a un maldito hermano mayor que Dios confunda. En el convento sólo habitan los
celos, la discordia y la rabia. La verdad es que yo he
predicado algunos pésimos sermones que me han dado
algún dinero, a pesar de que la mitad me lo roba el prior
y el resto me lo gasto en francachelas; pero cuando a
la noche me reintegro a mi monasterio, lo único que
haría es golpearme la cabeza contra las paredes del dor-
mitorio, y a todos mis compañeros les pasa exactamente
lo mismo.

Volviéndose hacia Cándido, Martín le dijo con su
ordinaria sangre fría:

—¿He ganado o no la apuesta entera?

Cándido entregó dos mil piastras a Paquita y mil a
fray Alelí, diciendo:

—Os garantizo que con esto serán felices.

—No lo creo—dijo Martín—, porque haciendo lo que
hacéis les haréis más desdichados todavía.

—Sea lo que sea—dijo Cándido—, una cosa me con-
suela: y es encontrarme a menudo con personas que no
pensaba volver a ver. Así como encontré a mi carnero
rojo y a Paquita, es probable que me ocurra lo mismo
con Cunegunda.

—Me alegraría mucho—dijo Martín—de que fueseis
feliz con ella, pero lo dudo.

—Sois inexorable—le contestó Cándido.

—Es que soy viejo—dijo Martín.

—Pero, mirad a esos gondoleros—dijo Cándido—y decidme: ¿no están siempre cantando?

—Decís eso porque no los habéis visto nunca en sus casas, con sus mujeres y los zánganos de sus hijos—dijo Martín—. Así como el dux tiene disgustos, los gondoleros también tienen los suyos; aunque bien mirado el asunto, la suerte del gondolero es preferible a la del dux; pero la diferencia es tan pequeña que no vale la pena ni señalarla.

—He oído hablar—dijo Cándido—del senador Pococorriente, que vive en un hermoso palacio sobre el Brenta y que recibe muy bien a los extranjeros. Se murmura que es un hombre feliz.

—Quisiera conocer esa especie tan rara—dijo Martín.

Entonces Cándido solicitó en seguida permiso al señor Pococorriente para visitarle al día siguiente.

CAPÍTULO XXV

VISITA AL SEÑOR POCOCORRIENTE, NOBLE DE VENECIA

Cándido y Martín fueron en góndolas por el Brenta y llegaron al palacio del noble Pococorriente. Los jardines estaban diseñados con mucho gusto y bellas estatuas de mármol los adornaban. El palacio estaba muy bien planeado y el dueño de la casa, hombre de sesenta años, muy rico, los recibió muy cortésmente, pero con poco entusiasmo, cosa que sorprendió a Cándido y no desagradó a Martín.

Primero, dos hermosas jóvenes, vestidas con gran pulcritud, sirvieron un chocolate muy bien batido y Cándido no pudo menos que alabar su belleza, su gracia y su destreza.

—Son buenas chicas—dijo el senador—; algunas veces las hago dormir conmigo porque las damas de las villa me hartan con sus coqueterías, sus querellas, sus celos, sus humores, sus pequeñeces, sus orgullos y sus tonterías. Aunque, a pesar de todo eso, también estas dos muchachas comienzan a aburrirme.

Terminado el desayuno, y al pasearse por una galería, Cándido se maravilló ante la belleza de los cuadros, preguntando por el autor de los mismos.

—Son de Rafael—dijo Pococorriente—y los compré

muy caros hace algunos años, sólo por vanidad... Dicen que esto es lo mejor que hay en Italia, pero no me agradan mucho. Los colores son oscuros, las figuras no tienen bastante relieve, no se destacan bien; los ropajes no parecen hechos de tela; en pocas palabras, a pesar de lo que digan por ahí, no encuentro en estos cuadros una verdadera imitación de la naturaleza. No podré gustar jamás de un cuadro sino cuando vea en él a la naturaleza misma, y de esta especie todavía no he encontrado ninguno. Tengo muchos cuadros, pero no les hago ningún caso.

Antes de comer, el senador hizo ejecutar un concierto y Cándido encontró que la música era deliciosa.

—Este ruido—dijo el italiano—divierte media hora, pero si se prolonga, y aunque nadie se atreva a confesarlo, cansa a todo el mundo. La música no es más que el arte de ejecutar cosas difíciles, y lo que no es más que difícil, cansa a la larga, fastidia. La ópera me hubiera agradado más sino se les hubiera dado por hacer con ella algo que me repugna. ¿A quien le guste que vaya a ver malas tragedias musicadas, cuyas escenas no se han hecho nada más que para incluir dos o tres canciones ridículas que demuestren el mérito de la garganta de alguna actriz? Que tiemble de placer aquel que goce viendo a un canijo gorjear la parte de César o Catón y pisando como un torpe las tablas. Por lo que a mí respecta, hace ya mucho tiempo que renuncié a esas pequeñeces, que hoy en día constituyen la gloria de Italia y que los soberanos pagan de un modo tan espléndido.

Cándido intentó hacer alguna discreta observación y Martín estuvo en un todo de acuerdo con el senador.

Se sentaron a la mesa, y después de una comida excelente pasaron a la biblioteca. Al ver a Homero tan bien encuadernado, alabó Cándido el buen gusto de Poco-corriente.

—Éste es un libro que haría las delicias del gran Pangloss, el mayor filósofo de Alemania.

—Pues no hace en absoluto las mías—respondió el senador con frialdad—; en otros tiempos todavía me entretenía, pero esa repetición continua de combates idénticos, esos dioses que nunca hacen nada positivo, esa Helena que es la causa de la guerra y que sólo parece una sainetera trasnochada, esa Troya que sitian y no toman: todo eso me produce un hastío mortal. He preguntado algunas veces a los sabios si estaban de acuerdo conmigo, y todas las personas sensatas me han confesado que el libro se les caía de las manos, pero que era necesario conservarlo en las bibliotecas como monumento de la antigüedad; como esas medallas inútiles y oxidadas que se conservan para el comercio.

—¡No dirá vuestra excelencia lo mismo de Virgilio! —preguntó Cándido.

—Os concedo—dijo Pococorriente—que el segundo, el cuarto y el sexto libro de *La eneida* son excelentes, pero en cuanto al piadoso Eneas, el fuerte Cloante, el amigo Achate, el pequeño Ascanius y el imbécil rey Latinus; la señora Amata y el insípido Lavinia, no creo haber encontrado nunca algo más frío y desagradable. Prefiero el Tasso y los cuentos de Ariosto para dormir muchachos.

—Señor, me atrevo a preguntaros—dijo Cándido—si no gozáis inmensamente leyendo a Horacio...

—Tiene máximas—dijo Pococorriente—que pueden ser aprovechadas por un hombre de mundo y que además, como están contenidas en versos enérgicos, se graban mejor en la memoria; pero me interesa muy poco su viaje a Brindas, la descripción de una pésima comida y la disputa de unos rufianes contra Rupilio, cuyas palabras, según escribe él, estaban llenas de pus y otro cuyas frases eran de vinagre. Leí con mucho disgusto sus versos groseros contra las viejas y las brujas, y no encuentro el mérito que pueda tener el decirle a su amigo Mecenas que si por él fuese colocado en el rango de los poetas líricos, él heriría a los astros con su frente sublime. Los tontos admiran todo en un autor estimado. Yo sólo leo para mí y no me place nada más que lo que es de mi gusto.

Cándido, a quien habían educado en el principio de no juzgar las cosas por sí mismo, estaba admirado ante lo que oía, y Martín encontraba bastante razonable todo lo que decía el senador.

—En cuanto a Cicerón—dijo Cándido—, ¿también cansa su lectura?

—Jamás lo leo—respondió el veneciano—. ¿Qué puede importarme el que haya abogado por Rabirius o por Clencius? Ya tengo demasiados procesos que juzgar. Me hubiera acomodado mejor a sus obras filosóficas, pero cuando vi que dudaba de todo, saqué en conclusión de que estaba en mis mismas condiciones y que para ser ignorante me podía perfectamente pasar sin la ayuda de un vecino.

—Aquí hay ochenta volúmenes de colecciones de la academia de ciencias—exclamó Martín—; puede ser que haya algo bueno.

—Lo habría—dijo Pococorriente—si alguno de sus autores hubiese inventado por lo menos el modo de hacer alfileres, pero en todos esos libros no hay más que sistemas pueriles y nada que sirva para maldita cosa.

—¡Cuántas obras dramáticas veo allí—dijo Cándido—en italiano, en español, en francés!...

—Sí—dijo el senador—, hay tres mil y no llegan a tres docenas las medianas... En cuanto a esta colección de sermones, que juntos no valen una página de Séneca, y todos estos mamotretos de teología, no tengo ni que deciros que no se abren nunca.

Martín divisó unos estantes llenos de libros ingleses y dijo:

—Creo que para un republicano deben de ser gratísimas todas estas obras escritas con tanta libertad.

—Sí—respondió Pococorriente—, es realmente muy hermoso escribir lo que se piensa, porque ése es el privilegio de todo ser humano. En toda Italia sólo se escribe lo que no se piensa, los habitantes de la patria de los César y de los Antonino no se atreven a manifestarse sin el previo permiso de un jacobino. Estaría más contento con la libertad inglesa si la pasión y el espíritu partidista no corrompiesen todo lo que esta preciosa libertad tiene de estimable.

Viendo un Milton, Cándido le preguntó si no admiraba a tan grande hombre.

—¿Quién?—preguntó Pococorriente—. ¿Ese bárbaro que hace un largo comentario del primer capítulo del *Génesis* en diez libros de malas coplas? ¿Ese burdo imitador de los griegos que desfigura la creación y que mientras Moisés representa al ser supremo creando el mundo con la palabra, hace tomar al mesías un compás en un armonio del cielo para trazar su obra?... ¿Podría gustarme acaso el que ha deslustrado el infierno y el diablo del Tasso; el que representa a Lucifer como un reptil o como un pigmeo; el que le hace repetir cientos de veces los mismos discursos y que, imitando en serio la invención cómica de las armas de fuego de Ariosto, hace que los diablos disparen en el cielo la artillería? Ni a mí ni a nadie en Italia le ha gustado quien se ha complacido con tan tristes extravagancias. El casamiento del pecado y de la muerte y las culebras que da a luz el pecado, harían vomitar a cualquier hombre con un poco de gusto. Su pesada descripción del hospital sólo puede gustar a un sepulturero. Ese poema oscuro y extravagante fue despreciado en su época y yo lo trato hoy como hicieron sus contemporáneos. Además, yo siempre digo lo que pienso y poco me importa lo que piensen los demás.

Cándido se afligió al oír todo esto; respetaba a Homero y amaba algo a Milton. Y por lo bajo le dijo a Martín:

—¡Ay!, me temo que tampoco le agraden nuestros poetas alemanes.

—No estaría muy equivocado—respondió Martín.

—¡Qué hombre elevado!—decía Cándido entre dientes—, ¡qué gran genio este Pococorriente, nada le gusta!

Después de revisar toda la biblioteca, bajaron al jardín y Cándido ensalzó todas sus bellezas.

—No conozco nada de peor gusto—dijo el dueño—, no hay más que chucherías, pero mañana mismo haré plantar uno mejor ideado.

Al despedirse de su excelencia, Cándido dijo a Martín:

—Convendréis conmigo en que éste es el más dichoso de todos los hombres, pues es superior a todo cuanto posee.

—¿No notáis—dijo Martín—que está disgustado con todo lo que posee? Platón dijo hace mucho tiempo que los mejores estómagos no son ciertamente los que repugnan toda clase de alimentos.

—Pero—dijo Cándido—, ¿no hay acaso placer en criticarlo todo, en hallar defectos en lo que los demás hombres creen ver bellezas?

—¿Vale decir—contestó Martín—que hay placer en no tener placer?

—Veo—dijo Cándido—que el único ser que será dichoso en esta tierra seré yo cuando vuelva a ver a la señorita Cunegunda.

—Siempre es bueno esperar algo—dijo Martín.

Entre tanto, los días y las semanas pasaban y Cacambo no aparecía. Cándido sufría tanto, que ni siquiera reparó en que ni Paquita ni fray Alelí habían vuelto para darle las gracias.

CAPÍTULO XXVI

CENA QUE TUVIERON CÁNDIDO Y MARTÍN, EN COMPAÑÍA
DE SEIS EXTRANJEROS Y LO QUE ÉSTOS ERAN

UNA noche que Cándido y Martín iban a sentarse a la mesa, en compañía de unos extranjeros que paraban en la misma posada, un hombre con la cara del color del hollín se le acercó por atrás a nuestro joven y, cogiéndole de un brazo, le dijo:

—Disponeos a partir con nosotros y no faltéis.

Volvióse Cándido y vio a Cacambo. Excepto ver a Cunegunda, nada hubiera podido agradarle tanto como ver a su criado, y, abrazándolo, le preguntó:

—¿Está aquí Cunegunda? ¿En dónde está?... Llévame a su presencia, ¡que yo me muera de alegría al verla!

—Cunegunda no está aquí—dijo Cacambo—, está en Constantinopla.

—¡En Constantinopla!... Aunque estuviera en China iría volando; ¡partamos!

—Partiremos después de cenar—respondió Cacambo—; no puedo agregar más, soy un esclavo y mi amo me espera; es preciso que vaya a servirle a la mesa. No digáis nada de lo que os he dicho, cenad y estar dispuesto.

Cándido luchaba entre la alegría y el dolor. Encantado de haber vuelto a ver a su ayuda de cámara, estupefacto al saberlo esclavo y dominado por la idea de volver a ver a su amada, se sentó a la mesa con Martín, con el corazón agitado y la cabeza trastornada. Su amigo observaba todo con sangre fría en compañía de seis extranjeros que habían venido a pasar el carnaval a Venecia.

Cacambo, que escanciaba vino a uno de esos seis extranjeros, se acercó al oído de su amo al final de la cena y le dijo:

—Señor, vuestra majestad puede partir cuando quiera, el barco está listo.

Al decir esto se retiró y los comensales, admirados, se miraban entre sí, sin proferir palabra, cuando otro criado le dijo a su amo:

—Señor, la silla de posta de vuestra majestad está en Padua y el barco está pronto.

A una señal del amo el criado se retiró. Todos los comensales se volvieron a mirar con sorpresa cuando vieron entrar a un tercer criado, quien dijo a otro de los extranjeros:

—Señor, créame vuestra majestad, no debe permanecer aquí más tiempo; voy a preparalo todo—y en seguida desapareció.

Cándido y Martín estaban convencidos de que era una broma de carnaval. Un cuarto criado dijo a un cuarto amo:

—Vuestra majestad puede salir cuando guste—y salió como todos los demás.

El quinto dijo lo mismo, pero el sexto habló de otra manera al sexto extranjero que estaba cerca de Cándido. Y le dijo lo siguiente:

—No nos quieren fiar más; no sería extraño que esta

noche nos metieran en la cárcel; voy a mis quehaceres. Adiós.

Cuando los criados se retiraron, los seis extranjeros, Cándido y Martín permanecieron en un profundo silencio. Cándido lo rompió y dijo:

—Señores, he aquí una broma singular. ¿Por qué os hacéis llamar reyes? Por mi parte, os puedo asegurar que ni yo ni Martín lo somos.

El amo de Cacambo tomó gravemente la palabra y dijo en italiano:

—Yo no bromeo; me llamo Achmet tercero y he sido gran sultán durante muchos años. Destroné a mi hermano, mi sobrino me destronó a mí y cortaron la cabeza a mis visires. Paso mi vida en el viejo serrallo, y mi sobrino, el gran sultán Mahmud, me permite viajar algunas veces por higiene y he venido a pasar el carnaval en Venecia.

Un joven, que estaba al lado de Achmet, habló después y dijo:

—Me llamo Ivan, he sido emperador de todas las Rusias; fui destronado en la cuna. Mi padre y mi madre han sido encerrados; me he educado en la prisión; tengo algunas veces licencia para viajar, acompañado de mis guardianes, y he venido a pasar el carnaval en Venecia.

Dijo el tercero:

—Yo soy Carlos Eduardo, rey de Inglaterra. Mi padre me cedió sus derechos al trono y he luchado por sostenerlos. Arrancaron el corazón a ochocientos de mis partidarios después de abofetearlos; fui hecho prisionero, e iba a Roma para visitar a mi padre, destronado como yo y como mi abuelo, cuando decidí venir a pasar el carnaval en Venecia.

El cuarto dijo:

—Yo soy rey de los polacos, el azar de la guerra nos privó a mi padre y a mí de nuestros estados hereditarios. Yo me puse en manos de la providencia como todos los que han hablado y decidí venir a pasar el carnaval en Venecia.

El quinto dijo:

—Yo también soy rey de los polacos. Perdí mi reino dos veces, pero la providencia me dio otro estado, en el cual he hecho más bien que todos los reyes de los sármatas juntos han podido hacer en las márgenes del Vístula. Me entregué también en manos de la providencia y me vine a pasar el carnaval en Venecia.

Quedaba por hablar el sexto monarca:

—No soy tan gran señor como todos vosotros, pero al fin he sido rey como otro cualquiera. Soy Teodoro, rey de Córcega, y me han llamado vuestra majestad, y actualmente apenas me llaman señor. He hecho acuñar monedas y no tengo un céntimo; he tenido secretarios de estado y apenas tengo un criado. Me he visto sobre un trono y pasé mucho tiempo preso en Londres, durmiendo sobre paja, y temo ser tratado del mismo modo aquí, aunque he venido a pasar el carnaval en Venecia.

Los otros cinco reyes lo oyeron con compasión y cada uno de ellos dio veinte cequíes al rey Teodoro para que se comprara vestidos y camisas. Cándido le regaló un diamante de dos mil cequíes y los cinco reyes preguntaron:

—¿Quién será este hombre que da cien veces más que nosotros? ¿Sois también rey, señor?

—No, señores, ni tengo ganas de serlo.

Cuando se levantaron de la mesa, llegaron a la misma hostería cuatro altezas serenísimas que habían perdido también sus estados por la guerra y que venían a pasar el resto del carnaval en Venecia. Cándido no les prestó atención porque estaba en esos momentos trastornado con la idea de ir a buscar a su querida Cunegunda a Constantinopla.

Constantinopla.

CAPÍTULO XXVII

VIAJE A CONSTANTINOPLA

CACAMBO había ya conseguido del patrón turco que
llevaba al sultán Achmet a Constantinopla, que re-
cibiera a bordo a Cándido y Martín. Se dirigía al barco
después de haberse prosternado delante de su miserable
alteza, y mientras andaban, Cándido dijo a Martín:

—He aquí mis reyes destronados, con los que cena-
mos, y entre ellos uno a quien he dado limosna. Quizá
haya muchos más desgraciados. Por mi parte, no he
perdido más que cien carneros y vuelo a los brazos de
mi amada. Mi querido Martín, hay que convenir en que
Pangloss tenía razón; todo está bien.

—¡Amén!—dijo Martín.

—Pero—continuó Cándido—la aventura que hemos
tenido en Venecia parece inverosímil, pues nunca se ha
visto ni oído contar que seis reyes sin corona hayan
cenado juntos en una misma hostería.

—Eso no es más sorprendente—dijo Martín—que todas las cosas por las cuales hemos pasado hasta ahora.
Destronar reyes es algo muy común, y en cuanto al honor que hemos tenido al cenar con ellos, es una peque-
ñez que no merece le prestemos atención. ¿Qué impor-

tancia tiene saber con quién se cena, si lo que importa realmente es que la cena sea buena?

Apenas Cándido subió al barco abrazó a Cacambo y le preguntó:

—¿Qué hace Cunegunda? ¿Sigue siendo un tesoro de belleza? ¿Sigue amándome? ¿Cómo está? Le conseguiste, sin duda, un palacio en Constantinopla, ¿verdad?

—Amo querido—respondió Cacambo—, Cunegunda friega los platos a orillas del Propontino en la casa de un príncipe que no tiene nada de tal. Es esclava en la casa de un antiguo soberano llamado Ragotski, a quien el gran turco da tres escudos diarios en su asilo. Lo más triste de todo es que ha perdido toda su belleza y se ha vuelto espantosamente fea.

—¡Ah!—dijo Cándido—, yo soy un hombre honrado y la amaré siempre, sea fea o bonita. Pero, ¿cómo puede estar en un estado tan miserable, con los cinco o seis millones que tú le llevaste?

—Tuve que darle dos—dijo Cacambo—al señor don Fernando de Ibarra y Figueroa de Mascarenes y Lampurdos de Souza, gobernador de Buenos Aires, para que soltase a la señorita Cunegunda; el resto nos lo robó un pirata, el cual nos condujo a Matapán, Milo, Nicaria, Samos, Petra, a los Dardanelos, a Mármara y a Escutari. Cunegunda y la vieja sirven en casa del príncipe que os mencioné y yo soy esclavo del sultán destronado.

—¡Qué espantosas calamidades encadenadas!—dijo Cándido—. Por suerte todavía me quedan algunos diamantes y libertaré fácilmente a Cunegunda. ¡Qué desgracia que se haya vuelto fea!—y volviéndose a Martín le preguntó—: Quién será más digno de lástima, ¿el emperador Ivan, el rey Carlos Eduardo o yo?

—Lo ignoro—dijo Martín—; tendría que estar en vuestros corazones para saberlo.

—¡Ah!—exclamó Cándido—, si Pangloss estuviera aquí, él lo sabría y nos lo explicaría.

—No sé—contestó Martín—con qué balanza vuestro Pangloss hubiera podido pesar las desdichas de los hombres y apreciar sus dolores. Lo que presumo es que sobre la tierra deben de haber millones de hombres cien veces más dignos de lástima que el rey Carlos Eduardo, el emperador Ivan y el sultán Achmet.

—Es probable—dijo Cándido.

A los pocos días llegaron al canal del mar Negro, y Cándido rescató a Cacambo a muy alto precio. Sin pérdida de tiempo se metieron en una galera y se dirigieron a las márgenes del Propontino para buscar a la fea Cunegunda.

Entre la canalla había dos forzados que remaban muy mal y a quienes el patrón levantino pegaba de vez en cuando con una vara sobre sus espaldas desnudas. Cándido, por un movimiento natural, les miró más que a los otros galeotes y se acercó a ellos compasivamente. Algunos de sus rasgos le hicieron acordarse de Pangloss y del jesuita hermano de la señorita Cunegunda. Esto lo entristeció y conmovió al mismo tiempo. Los miró con más atención y dijo a Cacambo:

—¡Caramba!, si yo no hubiera visto ahorcar a Pangloss y no hubiera tenido la desgracia de matar al barón, creería que esos galeotes son ellos.

Al oír los nombres del barón y de Pangloss, los dos forzados gritaron desaforadamente, pararon su tarea y dejaron caer los remos. El patrón levantino corrió en seguida hacia ellos y les pegó encarnizadamente.

—¡Deteneos!—exclamó Cándido—, ¡deteneos, señor! Os daré todo el dinero que queráis.

—¡Es Cándido!—gritó uno de los forzados.

—¡Es Cándido!—dijo el otro.

—¿Estaré soñando?—preguntaba Cándido—. ¿Estaré despierto? ¿Estoy realmente en una galera? ¿Será éste el señor barón a quien di muerte? ¿Será éste Pangloss. a quien vi colgar del pescuezo?

—¡Somos los mismos! ¡Somos los mismos!—respondieron los dos.

—¡Cómo!, ¿es éste el gran filósofo?—exclamó Martín.

—Señor levantino—dijo Cándido—, ¿cuánto queréis por el rescate del barón de Thunder-ten-tronck, uno de los primeros barones del imperio, y por el señor Pangloss, el más profundo metafísico alemán?

—¡Perro cristiano!—respondió el patrón—, por tratarse de gente tan ilustrada, lo cual es algo muy meritorio, tendrás que darme cincuenta mil cequíes.

—Convenido; llevadme con rapidez de rayo a Constantinopla y se os pagará al contado. Mejor dicho, condúceme a donde vive la señorita Cunegunda.

El patrón levantino, ante la primera propuesta de Cándido, puso proa hacia la villa e hizo bogar la galera con más celeridad que la del pájaro cuando hiende los aires.

Cándido abrazó mil veces al barón y a Pangloss y les preguntó:

—¿Cómo es que no perecisteis, mi querido barón? ¿Cómo es que vos, mi querido Pangloss, estáis vivo después que os ahorcaron? ¿Y por qué estáis los dos remando en las galeras turcas?

El barón preguntó:

—¿Es verdad que mi querida hermana está en ese país?

—Sí—respondió Cacambo.

—¡Debo de estar soñando, mi querido Cándido!—exclamó Pangloss.

Cándido los presentó a Martín y Cacambo y todos se abrazaron, hablando todos a la vez. La galera volaba y en seguida se hallaron en el puerto. Cándido llamó a un judío y le vendió un diamante por cincuenta mil cequíes, a pesar de que valía más de cien mil, jurándole por Abraham que no podía dar más. Pagó el rescate del barón y Pangloss, arrojándose éste a los pies de su libertador, bañándolos con sus lágrimas. El barón le dio las gracias con una inclinación de cabeza y prometió devolverle aquel dinero en la primera ocasión.

—Pero ¿es posible que mi hermana esté en Turquía?—decía continuamente.

—Lo más seguro—dijo Cacambo—, porque está fregando platos en la casa de un príncipe de Transilvania.

Hicieron venir a otros dos judíos. Cándido vendió otros diamantes y partieron todos en otra galera para dar a Cunegunda la libertad de que carecía.

CAPÍTULO XXVIII

DE LO QUE LE SUCEDIÓ A CÁNDIDO, CUNEGUNDA, MARTÍN, PANGLOSS Y...

—REVERENDO padre—dijo Cándido al barón—, os pido mil perdones por haberos atravesado el cuerpo con mi espada.

—No hablemos más de eso—dijo el barón—; confieso que estuve demasiado violento, y puesto que queréis saber por qué extraño azar me habéis encontrado en una galera, os contaré mi historia. Después que el hermano farmacéutico del colegio curó mis heridas, fui atacado y hecho prisionero por una partida española. Me metieron en un calabozo de Buenos Aires, al mismo tiempo que mi hermana salía de ese país. Pedí volver a Roma al lado del padre general y fui nombrado limosnero del embajador de Francia en Constantinopla. No habían pasado ni siquiera ocho días en el desempeño de mi nuevo destino, cuando al anochecer me encontré con un paje del gran señor, joven muy bien formado que quiso bañarse, pues hacía mucho calor. Yo quise hacerlo también, ignorando que era un pecado capital el estar en cueros junto a un joven musulmán. Un cadí me hizo dar cien palos en las plantas de los pies y me envió a las galeras. No creo que se haya cometido nunca mayor injusticia. Pero lo que quisiera saber es por qué mi hermana está sirviendo en la cocina de un soberano de Transilvania, refugiado en Turquía.

—Y a vos, mi querido Pangloss—dijo Cándido—, ¿cómo ha sido posible volver a veros?

—Es verdad—dijo Pangloss—que me visteis ahorcar. Yo debía haber sido quemado, pero os acordaréis que cuando estaban a punto de asarme comenzó a llover a cántaros. La tempestad fue tan violenta que no pudieron encender el fuego; así fue que me ahorcaron por no poder asarme. Un anatómico pidió mi cuerpo y me llevó a su casa para disecarme. Me hizo una incisión crucial desde el ombligo hasta la clavícula, y, desde luego, a nadie ahorcaron peor que a mí. El ejecutor de los altos fines de la santa inquisición sabía quemar a la gente admirablemente, pero no era nada práctico en cuestiones de ahorcados. La cuerda estaba mojada y corría mal, estaba también mal anudada; total, que yo respiraba aún. La incisión crucial me hizo lanzar un rugido y el anatómico, asustadísimo, se cayó de espaldas creyendo disecar al diablo. Muerto de miedo, bajó rodando la escalera. Ante tamaño alboroto, su mujer salió de una habitación vecina y, viéndome tendido con mi incisión crucial, tuvo más miedo que su marido y, huyendo, rodó por la escalera, cayendo sobre él. Cuando se repusieron, oí comentar a la cirujana: "Pero, hombre, ¡a quién se le ocurre disecar a un hereje!... ¿No sabes acaso que tienen el diablo en el cuerpo? Voy a buscar a un cura para que lo exorcice." Estremecido ante lo que acababa de oír, pude gritar: "¡Tened compasión de mí!" Se animó el cirujano portugués, me cosió la piel y, gracias a los cuidados de su mujer, estuve recuperado a los quince días. El médico me buscó colocación y me hizo lacayo de un caballero de Malta que iba a Venecia. No teniendo mi amo con qué pagarme, me vendió a un mercader veneciano que iba a Constantinopla. Un día, se me ocurrió entrar en una mezquita, en donde no había nadie más que un viejo imán y una joven devota muy bella que rezaba sus oraciones, tenía un gran descote y llevaba entre los senos un hermoso ramillete de tulipanes, rosas, anémones, ranúnculos, jacintos y orejas de oso. Dejó caer su ramillete y yo lo recogí, volviéndoselo a colocar con muchísimo respeto. Tardé tanto en colocárselo que el imán se puso furioso, y viendo que yo era cristiano pidió auxilio. Me llevaron al cadí, quien me hizo dar cien palos en las plantas de los pies y me envió a las galeras. Me encadenaron en la misma galera que el barón y en ella iban además cuatro jóvenes de Marsella, cinco curas napolitanos y dos frailes de Corfú, quienes nos dijeron que todos los días ocurrían cosas muy semejantes. Por mi parte, yo sostenía, contra las afirmaciones del barón que juraba que con él habían cometido mayor injusticia que conmigo, que colocar un ramillete de flores en el seno de una mujer era algo mucho más lícito que estar en cueros con un paje del gran señor. Disputábamos sin cesar, recibiendo veinte estacazos cada día hasta que el encadenamiento natural de los sucesos de este universo os trajo a nuestra galera y nos libertasteis, rescatándonos del rebenque.

—Y bien, querido Pangloss—le preguntó Cándido—, cuando fuisteis ahorcado, disecado, molido a palos y cuando remabais en la galera, ¿pensabais todavía que todo está muy bien en el mundo?

—Yo siempre sostengo mis opiniones—respondió Pangloss—, porque al fin y al cabo soy un filósofo. No estaría bien el desdecirse, puesto que Leibnitz no pudo engañarse, y, además, la armonía preexistente sigue siendo la cosa más bella del mundo, así como lo pleno y la materia sutil.

CAPÍTULO XXIX

REENCUENTRO DE CÁNDIDO, CUNEGUNDA Y LA VIEJA

MIENTRAS que Cándido, el barón, Pangloss, Martín y Cacambo contaban sus aventuras y razonaban sobre los hechos contingentes y no contingentes de este universo, disputando sobre los efectos y las causas, sobre el mal moral y el físico, sobre la libertad y la necesidad y sobre los consuelos que se pueden obtener remando en una galera turca, llegaron a las orillas del Propontino y, por ende, a la casa del príncipe de Transilvania. Las primeras personas que vieron al desembarcar fueron a Cunegunda y a la vieja, ocupadas en tender unas servilletas en unas cuerdas para hacer que se secasen.

Al ver esto el barón palideció. El tierno amante que era Cándido, viendo a su bella Cunegunda renegrida, con los ojos legañosos, el cuello lleno de pellejos, las mejillas arrugadas y los brazos secos y escamosos, retrocedió espantado de horror. Luego, y por aparentar, se acercó a ella y los dos se abrazaron. Todo el mundo se abrazó después y Cándido rescató a las dos mujeres.

Cerca de donde estaban había una pequeña alquería y la vieja propuso a Cándido elegirla como alojamiento provisional. Cunegunda ignoraba su fealdad porque nadie se lo había señalado y recordó a Cándido sus promesas en un tono tan categórico que el joven no se atrevió a rehusar. Le indicó al barón que iba a casarse con su hermana, y éste le respondió:

—No podré sufrir jamás una bajeza tan grande de su parte ni tamaña insolencia de la vuestra. Nadie podrá reprocharme jamás el haber consentido semejante infamia. Los hijos de mi hermana no podrían entrar jamás en los capítulos de Alemania. No, mi hermana no se casará si no es con un barón del imperio.

Cunegunda se echó llorando a sus pies, pero él fue inflexible.

—¡Enloquecido señor!—exclamó Cándido—, os he sacado de las galeras, he pagado vuestro rescate y el de vuestra hermana. Ella fregaba platos en este lugar, es fea, yo tengo la amabilidad de hacerla mi mujer y ¡vos pretendéis oponeros! Si me dejase llevar por la cólera os mataría otra vez.

—Mátame cuantas veces quieras, pero nunca te casarás con mi hermana mientras yo viva.

CAPÍTULO XXX

CONCLUSIÓN

En el fondo de su corazón, Cándido no tenía el menor deseo de casarse con Cunegunda, pero la insolente impertinencia del barón lo obligaba a concluir el matrimonio y Cunegunda lo instaba tan vivamente que no podía ya volverse atrás. Consultó con Pangloss, Martín y el fiel Cacambo. El primero confeccionó un excelente memorándum, por el cual probaba que el barón no tenía derecho alguno sobre su hermana y que ella podía, según todas las leyes del imperio, casarse con Cándido. Martín quería tirar al barón al mar y Cacambo determinó que lo que convenía era devolverlo a las galeras y al capitán levantino, después de lo cual se lo devolvería a Roma con el padre general por el primer correo. El consejo pareció a todos excelentes y la vieja lo aprobó. Nada dijeron a su hermana y la cuestión se llevó a cabo por una suma de dinero. Así, tuvieron el gusto de atrapar a un jesuita y castigar a un barón alemán en su orgullo.

Sería muy natural imaginar que Cándido después de tantos desastres, casado con la que había amado y viviendo con los filósofos Pangloss y Martín, el prudente Cacambo y la vieja; habiendo, por otra parte, sacado tantos diamantes de la patria de los antiguos Incas, llevaría la vida más agradable del mundo. Sin embargo, había sido tan saqueado por los judíos, que no le quedaba más que la pequeña alquería, la cual había comprado; su mujer, que cada vez estaba más fea, se había vuelto gruñona e insoportable; la vieja estaba enferma y tenía peor humor que Cunegunda. Cacambo, que cultivaba la huerta e iba a vender las verduras a Constantinopla, estaba lleno de trabajo y maldecía su suerte. Pangloss se desesperaba por no poder brillar en alguna universidad de Alemania, y Martín era el único que estaba firmemente persuadido de que en todas partes se vivía igual, y llevaba las cosas con calma. Cándido y los dos filósofos discutían algunas veces sobre moral y metafísica. Por delante de las ventanas se veían pasar con frecuencia barcos cargados de efendies, bajaes y cadíes que iban desterrados a Lemos, Mitilena y Erurzun; al mismo tiempo venían otros cadíes, otros bajaes y otros efendies que ocupaban las plazas de los expulsados y que a su vez serían también desterrados. Se podían ver también cabezas cortadas y bien conservadas que llevaban a la Sublime Puerta. Estos espectáculos les hacían redoblar sus discusiones, y cuando no disputaban se aburrían tanto, que la vieja se atrevió a decir un día:

—Quisiera saber qué es peor: si ser violada cien veces por piratas y negros; tener cortada una nalga, pasar por las baquetas entre los búlgaros, ser azotado y ahorcado en auto de fe, remar en galeras, sufrir al fin todos los trabajos por los que hemos pasado o aburrirse aquí mano sobre mano.

—¡Qué gran dilema!—dijo Cándido.

Esto les hizo reflexionar, y Martín concluyó que el hombre había nacido para vivir entre las convulsiones de la inquietud o en el aburrimiento del fastidio. Cándido contradecía todo eso, pero no afirmaba tampoco nada. Pangloss confesaba que toda su vida había sido un horrible sufrimiento, pero que todo estaba bien, que lo sostendría siempre, aunque no creyera semejante cosa.

Una acabó de confirmar a Martín en sus detestables principios e hizo dudar más que nunca a Cándido y confundió a Pangloss. Y fue que un día vieron llegar a la alquería a Paquita y a fray Alelí en la mayor miseria. Se habían comido en poco tiempo las tres mil piastras y luego se separaron. Volvieron a unirse, riñeron, los metieron en la cárcel, se escaparon y, al fin, fray Alelí se había hecho turco. Paquita ejercía su profesión en todas partes pero ya no ganaba un céntimo.

—Ya os lo dije yo—recordó Martín a Cándido—que vuestros regalos los disiparían y no servirían sino para hacerlos más desdichados. Vos y Cacambo habéis tenido millones de piastras y no sois más dichosos que fray Alelí y Paquita.

—¡Ah, ah!—dijo Pangloss a Paquita—, el cielo os ha enviado. ¡Pobre criatura! ¿Sabíais que vos me cortasteis la punta de la nariz, un ojo y una oreja? ¿Cómo os curasteis? ¿Qué mundo es éste?

La novedad y la llegada de los dos desgraciados les dio ocasión para filosofar a más y mejor.

En las cercanías vivía un derviche muy renombrado que pasaba por ser el mejor filósofo de Turquía. Fueron a consultarle y Pangloss le dijo:

—Maestro, venimos a suplicaros que nos digáis ¿para qué fin ha sido creado ese extraño animal que llaman hombre?

—¿Qué te importa?—le dijo el derviche.

—Pero venerable padre—dijo Cándido—, el mal se ha extendido horriblemente sobre la tierra.

—¿Qué puede importar—dijo el derviche— el bien o el mal? Cuando su alteza manda un barco hacia Egipto, ¿se ocupa acaso de si los ratones que van en él estarán a gusto o no?

—¿Qué hacer, entonces?—dijo Pangloss.

—Callarse—contestó el derviche.

—Me hubiera gustado—dijo Pangloss—conversar con vos acerca de los efectos y las causas del mejor de los mundos posibles, del origen del mal, de la naturaleza del alma y de la armonía preestablecida.

Ante estas últimas palabras, el derviche les dio con la puerta en las narices.

Después de esta conversación, corrió la noticia de que en Constantinopla acababan de ahorcar a dos visires de la banca y de la religión y que muchos de sus amigos habían sido empalados. Esta catástrofe hizo mucho ruido durante algunas horas. Pangloss, Martín y Cándido se encontraron al volver a la alquería con un anciano que tomaba el fresco a la puerta de su casa, bajo la sombra de unos naranjos. Pangloss, que era tan curioso como razonador, le preguntó cómo se llamaba el mufti que acababan de estrangular.

—No lo sé—respondió el buen hombre—, ni nunca supe el nombre de ningún mufti ni de ningún visir. Ignoro por completo el suceso de que me habláis; en general, aquellos que se ocupan de negocios públicos perecen algunas veces miserablemente y con razón. Jamás me informo de lo que pasa en Constantinopla y me contento con enviar allá, para venderlos, los frutos del huerto que cultivo.

Después de estas palabras, hizo entrar a los extranjeros en su casa y sus dos hijas y sus dos hijos les ofrecieron varias clases de helados que hacían ellos mismos: kaimak picado, cortezas de cidra en dulce, naranjas, cidras, limones, ananaes, dátiles, pistachos, café moka, que no estaba mezclado con el malo de Batavia y de las islas. Después del refrigerio, las dos hijas del musulmán perfumaron las barbas de Cándido, Pangloss y Martín.

—Debéis poseer—dijo Cándido al turco—un magnífico terreno.

—No tengo sino veinte arpentas—respondió el turco—; las cultivo con mis hijos y el trabajo nos libra de los tres peores males: el fastidio, el vicio y la indigencia.

Al volver a la alquería, Cándido hizo profundas reflexiones sobre todo lo que había dicho el turco y le dijo a Pangloss y a Martín:

—Me parece que este buen viejo se ha creado un estado mucho más preferible que el de aquellos seis reyes con quienes tuvimos el honor de cenar.

—Según el parecer de muchos filósofos—dijo Pangloss—las grandezas son harto peligrosas. En efecto, Eglón, rey de los moabitas, fue asesinado por Aud; Absalón fue suspendido por los cabellos y atravesado por tres dardos; el rey Nadab, hijo de Jeroboam, fue muerto por Baasa; el rey Ela, por Zambri; Ocasías, por Jehú; Atalía, por Joiada; los reyes Joaquín, Jecomías y Sedecías fueron esclavizados. Ya sabéis cómo perecieron Creso, Actyage, Darío, Dionisio de Siacusa, Pirro, Perseo, Aníbal, Yugurta, César, Pompeyo, Nerón, Othón, Vitelio, Domiciano, Ricardo segundo de Inglaterra, Eduardo segundo, Enrique sexto, Ricardo tercero, María Estuardo, Carlos primero, los tres Enriques de Francia, el emperador Enrique cuarto. Ya sabéis...

—Lo que sé, en verdad—dijo Cándido—, es que es preciso cultivar nuestro jardín.

—Tenéis razón—dijo Pangloss—, porque cuando el hombre fue colocado en el jardín del edén, fue puesto *ut operaretur eum* para trabajar;— lo que prueba que el hombre no ha nacido para el ocio.

—Trabajemos sin discutir—dijo Martín—; es el único medio de hacer la vida tolerable.

La pequeña colonia adoptó el loable designio y cada cual puso en ejercicio su mejor disposición, produciendo la pequeña cantidad de tierra mucho más. Cunegunda era horrible, pero llegó a hacerse una excelente pastelera; Paquita bordaba, y la vieja se encargó de la ropa blanca. Hasta el fraile Alelí se convirtió en excelente carpintero y en hombre de bien. Pangloss le decía algunas veces a Cándido:

—Todos los sucesos están encadenados en el mejor de los mundos posibles, porque si vos no hubieseis sido echado del hermoso castillo a puntapies por amar a la señorita Cunegunda; si no hubieseis tenido que ver con la inquisición; si no hubieseis recorrido América a pie; si no hubieseis atravesado al barón; si no hubieseis perdido los carneros de Eldorado, no comeríais aquí dulce de cidra, ni pistachos.

—Todo está muy bien—dijo Cándido—, pero cultivemos nuestro jardín.

ÚLTIMOS TÍTULOS PUBLICADOS